강력한 경희대 자연계 수리논술

기출문제

저자 소개

저자 김근현은 현재 탁트인 교육, 일으킨 바람, 에듀코어 대표이다.
前 메가스터디 온라인에서 대입 논술과 면접, 자기소개서, 학생부종합 등 다양한 동영상 강의를 하였다.
현재는 학습 프로그램 개발 및 연구 활동을 통해 교육의 발전을 고민하고 있다.
홍익대학교에서 전자전기공학부를 졸업하고 동대학원에서 전자공학 석사(반도체 레이저)를 전공하였다. 또한 연세대학교 교육경영최고위자 과정을 마쳤으며 연세대학교 교육대학원에서 평생교육 경영을 공부하고 있다.

강력한 경희대 자연계 수리 논술 기출문제

발 행 | 초판 : 2023년 06월 09일
　　　　　개정판 : 2024년 04년 15일
저 자 | 김근현
펴낸이 | 김근현
펴낸곳 | 일으킨 바람
출판사등록 | 2018.11.12.(제2018-000186호)
주 소 | 경기도 고양시 일산서구 하이파크 3로 61 409동 1503호
전 화 | 031-713-7925
이메일 | iIleukinbaram@gmail.com

ISBN | 979-11-93208-28-1

www.iluekinbaram.com

강력한 경희대 자연계

수리논술 기출문제

김근현 지음

차례

아름다울 학창 시절!
너무 귀하고 소중한 시간을
미래를 위해
하루하루 부단히 노력하는
수험생에게 드립니다.

머리말

 책을 쓰기 위해 책상에 앉으면 아쉬움과 안타까움, 나의 게으름에 늘 한숨을 먼저 쉰다.
왜 지금 쓸까?
왜 지금에서야 이 내용을 쓸까?
왜 지금까지 뭐했니?
스스로 자책을 한다.

또 애절함도 함께 느낀다.
시험이 코앞에서야 급한 마음에 달려오는
수험생들에게 왜 미리 제대로 준비된 걸 챙겨주지 못했을까?
그렇게 하루, 한 달, 일 년 그렇게 몇 해가 지나 이제야 조금 마음의 짐을 내려놓는다.

입에 단내 가득하도록 학생들에게 강의를 했고,
코앞에 다가온 연속된 수험생의 긴장감을 함께하다보면
그렇게 바쁘게 초조하게 지냈던 것 같다.

그렇게 함께했던 시간을 알기에
부족하겠지만
부디 이 책으로 수험생들이 부족한 일부를 채울 수 있고,
한 걸음이라도 희망하는 꿈을 향해 다갈 수 있길 간절히 바래 본다.

김 근 현

I. 경희 대학교 논술 전형 분석

1. 논술 전형 분석

1) 전형 요소별 반영 비율 (실질반영비율)

구분	논술	학생부	총 비율
일괄합산	100%	0%	100%
배점	1000점	0점	1000점

2) 수능 최저학력 기준

구분	등급 기준
인문계열/자연계열 [의예,한의예과(인문·자연) 치의예과·약학과 제외]	● 국어, 수학, 영어, 사회/과학탐구(2과목) 중 *2개* 영역 등급 합 *5* 이내이고, 한국사 5등급 이내
의예과· 한의예과(인문자연)· 치의예과·약학과	● 국어, 수학, 영어, 사회/과학탐구(2과목) 중 *3개* 영역 등급 합 *5* 이내이고, 한국사 5등급 이내
체육	● 국어, 수학, 영어, 사회/과학탐구(2과목) 중 *1개* 영역 *3* 등급이내이고, 한국사 5등급 이내

※모든 계열에 반영 영역별 필수 응시과목(지정과목)없음(단,한국사는 필수 응시)
※탐구영역은 2과목 평균 등급을 반영함

3) 논술의 성격
- 자연계는 수학에 관한 학생의 자연과학적 분석 능력 측정
- 제시문과 논제에 대한 정확한 이해를 기반으로 한 응용력과 분석 능력 평가

4) 논술의 출제 유형 및 범위
가. 출제 유형: 제시문과 논제로 구성된 자료 제시형
나. 출제 범위: 고등학교 교육과정 범위 안에서 출제
다. 특이 사항
- 자연계는 수학(수학, 수학I, 수학II, 확률과 통계, 미적분, 기하)의 기본 개념에 대한 이해도와 응용력을 기반으로, 다양한 자연현상을 해석하고 논리적으로 설명하는 문제 출제

5) 2023학년도 논술(논술우수자전형) 결과

모집단위	경쟁률			충원합격		합격자 평균 성적	수능최저학력기준			합격자 평균 등급
	모집 인원	지원 인원	경쟁률	예비 번호	비율	논술	충족 인원	충족율	실질 경쟁률	
식품영양학과	6	261	43.50	0	0.0%	63.4	95	36.4%	15.80	3.8
수학과	7	296	42.30	3	42.9%	70.4	123	41.6%	17.60	3.5
물리학과	7	255	36.40	2	28.6%	57.5	102	40.0%	14.60	3.3
화학과	6	263	43.80	1	16.7%	60.9	119	45.2%	19.80	3.3
생물학과	7	372	53.10	1	14.3%	58.7	166	44.6%	23.70	3.4
지리학과(자연)	4	133	33.30	0	0.0%	60.9	56	42.1%	14.00	4.0
정보디스플레이학과	6	412	68.70	1	16.7%	61.5	168	40.8%	28.00	3.8
기계공학과	30	851	28.40	10	33.3%	77.8	367	43.1%	12.20	3.5
산업경영공학과	8	182	22.80	0	0.0%	77.2	91	50.0%	11.40	3.5
원자력공학과	8	160	20.00	1	12.5%	68.6	65	40.6%	8.10	3.2
화학공학과	10	369	36.90	2	20.0%	80.9	161	43.6%	16.10	2.8
정보전자신소재공학과	9	273	30.30	1	11.1%	80.6	127	46.5%	14.10	3.4
사회기반시스템공학과	9	184	20.40	1	11.1%	65.6	68	37.0%	7.60	3.8
건축공학과	8	169	21.10	1	12.5%	67.5	65	38.5%	8.10	3.6
환경학및환경공학과	4	70	17.50	2	50.0%	71.0	22	31.4%	5.50	3.7
건축학과(5년제)[자연]	4	163	40.80	2	50.0%	79.3	58	35.6%	14.50	3.8
전자공학과	38	1,513	39.80	2	5.3%	60.6	634	41.9%	16.70	3.5
생체의공학과	4	127	31.80	0	0.0%	65.9	54	42.5%	13.50	5.2
컴퓨터공학부 컴퓨터공학과	9	491	54.60	1	11.1%	66.1	182	37.1%	20.20	3.8
컴퓨터공학부 인공지능학과	4	159	39.80	2	50.0%	62.4	63	39.6%	15.80	3.2
소프트웨어융합학과	5	221	44.20	0	0.0%	71.5	90	40.7%	18.00	3.0
응용수학과	4	81	20.30	0	0.0%	60.6	33	40.7%	8.30	2.9
응용물리학과	4	82	20.50	3	75.0%	48.4	27	32.9%	6.80	3.6
응용화학과	5	123	24.60	0	0.0%	58.1	43	35.0%	8.60	4.1
우주과학과	4	133	33.30	1	25.0%	63.8	49	36.8%	12.30	3.4
유전생명공학과	8	274	34.30	1	12.5%	72.4	120	43.8%	15.00	2.9
식품생명공학과	6	154	25.70	2	33.3%	71.8	64	41.6%	10.70	3.0
한방생명공학과	4	78	19.50	1	25.0%	59.4	33	42.3%	8.30	3.5
식물·환경신소재공학과	4	71	17.80	0	0.0%	58.3	29	40.8%	7.30	3.2
스마트팜과학과	4	92	23.00	2	50.0%	65.4	35	38.0%	8.80	3.4
의예과	15	2,963	197.50	0	0.0%	95.8	1,269	42.8%	84.60	2.7
한의예과(자연)	16	1703	106.40	1	6.3%	83.6	442	26.0%	27.60	3.4
치의예과	11	1868	169.80	1	9.1%	93.0	676	36.2%	61.50	1.9
약학과	8	1646	205.80	0	0.0%	86.8	390	23.7%	48.80	2.2
한약학과	6	191	31.80	3	50.0%	58.2	83	43.5%	13.80	3.6
약과학과	5	156	31.20	0	0.0%	60.5	83	53.2%	16.60	3.2
간호학과(자연)	4	307	76.80	0	0.0%	59.8	108	35.2%	27.00	3.5

6) 2022학년도 논술(논술우수자전형) 결과

모집단위	경쟁률			충원합격		합격자 평균성적	수능최저학력기준			합격자 평균 등급
	모집인원	지원인원	경쟁률	예비번호	비율	논술	충족인원	충족율	실질경쟁률	
식품영양학과	6	259	43.2	2	33.3%	64.1	134	51.7%	22.3	3.6
수학과	7	389	55.6	3	42.9%	77.4	210	54.0%	30.0	3.7
물리학과	8	280	35.0	4	50.0%	64.3	123	43.9%	15.4	3.8
화학과	6	284	47.3	0	0.0%	63.7	124	43.7%	20.7	3.5
생물학과	7	344	49.1	2	28.6%	61.2	164	47.7%	23.4	3.8
지리학과(자연)	4	142	35.5	1	25.0%	59.5	70	49.3%	17.5	4.5
정보디스플레이학과	6	472	78.7	2	33.3%	67.5	244	51.7%	40.7	4.1
기계공학과	32	1,117	34.9	9	28.1%	66.7	545	48.8%	17.0	3.5
산업경영공학과	8	232	29.0	1	12.5%	61.2	114	49.1%	14.3	3.3
원자력공학과	8	180	22.5	0	0.0%	64.1	69	38.3%	8.6	3.8
화학공학과	12	413	34.4	4	33.3%	60.3	196	47.5%	16.3	3.3
정보전자신소재공학과	9	280	31.1	0	0.0%	63.5	137	48.9%	15.2	3.8
사회기반시스템공학과	9	247	27.4	1	11.1%	62.9	97	39.3%	10.8	4.1
건축공학과	8	180	22.5	1	12.5%	61.4	71	39.4%	8.9	4.0
환경학및환경공학과	4	96	24.0	0	0.0%	66.8	58	60.4%	14.5	3.1
건축학과(5년제)[자연]	4	156	39.0	2	50.0%	58.9	73	46.8%	18.3	3.8
전자공학과	40	2,021	50.5	6	15.0%	67.7	1,015	50.2%	25.4	3.8
생체의공학과	4	137	34.3	0	0.0%	56.8	67	48.9%	16.8	3.9
컴퓨터공학부 컴퓨터공학과	10	722	72.2	3	30.0%	71.0	357	49.4%	35.7	4.1
컴퓨터공학부 인공지능학과	4	193	48.3	5	125.0%	60.4	90	46.6%	22.5	3.9
소프트웨어융합학과	5	262	52.4	0	0.0%	61.9	123	46.9%	24.6	2.9
응용수학과	4	92	23.0	1	25.0%	68.0	46	50.0%	11.5	2.9
응용물리학과	4	65	16.3	0	0.0%	67.1	27	41.5%	6.8	4.6
응용화학과	5	94	18.8	1	20.0%	61.0	48	51.1%	9.6	4.1
우주과학과	4	85	21.3	1	25.0%	56.0	27	31.8%	6.8	3.3
유전생명공학과	9	390	43.3	2	22.2%	59.4	193	49.5%	21.4	3.8
식품생명공학과	6	197	32.8	1	16.7%	46.7	84	42.6%	14.0	4.0
한방생명공학과	4	102	25.5	0	0.0%	45.1	38	37.3%	9.5	3.3
식물·환경신소재공학과	4	116	29.0	2	50.0%	53.3	61	52.6%	15.3	4.2
스마트팜과학과	4	103	25.8	0	0.0%	47.4	26	25.2%	6.5	4.0
의예과	15	3,161	210.7	4	26.7%	79.9	1,454	46.0%	96.9	2.8
한의예과(자연)	16	1,895	118.4	0	0.0%	65.6	496	26.2%	31.0	2.6
치의예과	11	1,931	175.5	1	9.1%	62.7	654	33.9%	59.5	3.6
약학과	8	3,453	431.6	2	25.0%	83.4	2,135	61.8%	266.9	3.3
한약학과	6	197	32.8	0	0.0%	61.4	95	48.2%	15.8	4.2
약과학과	5	193	38.6	1	20.0%	63.8	108	56.0%	21.6	3.5
간호학과(자연)	4	276	69.0	1	25.0%	61.9	93	33.7%	23.3	2.8

7) 2021학년도 논술(논술우수자전형) 결과

모집단위	경쟁률			충원합격		합격자 평균성적	수능최저학력기준			합격자 평균등급
	모집 인원	지원 인원	경쟁률	예비 번호	비율	논술	충족 인원	충족율	경질경 쟁률	
식품영양학과	8	196	24.5	2	25.0%	59.5	100	51.0%	12.5	4.1
수학과	10	241	24.1	4	40.0%	78.4	103	42.7%	10.3	3.3
물리학과	13	249	19.2	3	23.1%	74.0	124	49.8%	9.5	3.4
화학과	8	302	37.8	2	25.0%	79.7	164	54.3%	20.5	3.4
생물학과	10	387	38.7	3	30.0%	76.2	193	49.9%	19.3	3.3
지리학과(자연)	5	94	18.8	1	20.0%	59.5	38	40.4%	7.6	4.6
정보디스플레이학과	8	331	41.4	1	12.5%	73.6	172	52.0%	21.5	3.4
기계공학과	40	865	21.6	10	25.0%	60.4	467	54.0%	11.7	3.6
산업경영공학과	14	292	20.9	6	42.9%	68.7	157	53.8%	11.2	3.7
원자력공학과	14	211	15.1	5	35.7%	69.0	107	50.7%	7.6	3.6
화학공학과	11	394	35.8	1	9.1%	79.9	232	58.9%	21.1	4.1
정보전자신소재공학과	15	362	24.1	3	20.0%	72.9	211	58.3%	14.1	3.5
사회기반시스템공학과	17	274	16.1	4	23.5%	64.8	125	45.6%	7.4	4.0
건축공학과	17	264	15.5	5	29.4%	67.1	113	42.8%	6.6	3.8
환경학및환경공학과	7	127	18.1	2	28.6%	64.7	62	48.8%	8.9	3.2
건축학과(5년제)[자연]	5	110	22.0	2	40.0%	64.5	44	40.0%	8.8	4.3
전자공학과	50	1,591	31.8	12	24.0%	89.9	798	50.2%	16.0	3.7
생체의공학과	5	149	29.8	1	20.0%	87.5	68	45.6%	13.6	3.4
컴퓨터공학과	13	558	42.9	2	15.4%	94.7	288	51.6%	22.2	3.4
소프트웨어융합학과	7	298	42.6	1	14.3%	93.2	149	50.0%	21.3	3.5
응용수학과	8	122	15.3	0	0.0%	83.9	50	41.0%	6.3	3.8
응용물리학과	9	137	15.2	3	33.3%	83.4	75	54.7%	8.3	3.9
응용화학과	9	195	21.7	3	33.3%	87.1	91	46.7%	10.1	4.0
우주과학과	6	129	21.5	0	0.0%	84.5	57	44.2%	9.5	4.1
유전생명공학과	11	418	38.0	4	36.4%	90.1	205	49.0%	18.6	3.6
식품생명공학과	9	236	26.2	4	44.4%	75.6	117	49.6%	13.0	3.9
한방생명공학과	5	81	16.2	0	0.0%	77.6	32	39.5%	6.4	3.7
식물·환경 신소재공학과	5	111	22.2	1	20.0%	87.7	53	47.7%	10.6	3.6
스마트팜과학과	5	87	17.4	0	0.0%	88.2	32	36.8%	6.4	4.8
의예과	21	4,416	210.3	1	4.8%	88.9	1,856	42.0%	88.4	2.6
한의예과(자연)	23	2,230	97.0	3	13.0%	73.4	595	26.7%	25.9	2.9
치의예과	15	2,402	160.1	0	0.0%	82.1	841	35.0%	56.1	2.9
한약학과	8	175	21.9	0	0.0%	72.4	90	51.4%	11.3	4.3
약과학과	7	223	31.9	1	14.3%	72.8	107	48.0%	15.3	3.2
간호학과(자연)	5	251	50.2	0	0.0%	75.5	116	46.2%	23.2	3.5

8) 2020학년도 논술(논술우수자전형) 결과

모집단위	경쟁률			충원합격		합격자 평균 성적	수능최저학력기준			합격자 평균 등급
	모집 인원	지원 인원	경쟁률	예비 번호	비율	논술	충족 인원	충족율	실질 경쟁률	
식품영양학과	9	337	37.4	5	55.6%	60.3	162	48.1%	18.0	3.4
수학과	11	498	45.3	6	54.5%	68.6	239	48.0%	21.7	3.2
물리학과	14	501	35.8	3	21.4%	66.2	238	47.5%	17.0	3.5
화학과	8	546	68.3	2	25.0%	62.3	312	57.1%	39.0	4.0
생물학과	11	684	62.2	4	36.4%	67.1	355	51.9%	32.3	3.3
지리학과(자연)	5	167	33.4	1	20.0%	67.0	70	41.9%	14.0	3.6
정보디스플레이학과	8	595	74.4	1	12.5%	67.1	325	54.6%	40.6	3.5
기계공학과	44	1642	37.3	10	22.7%	65.3	959	58.4%	21.8	3.5
산업경영공학과	14	450	32.1	1	7.1%	59.8	257	57.1%	18.4	3.8
원자력공학과	14	351	25.1	3	21.4%	51.5	150	42.7%	10.7	3.9
화학공학과	11	681	61.9	1	9.1%	63.5	383	56.2%	34.8	3.5
정보전자신소재공학과	15	574	38.3	1	6.7%	65.6	338	58.9%	22.5	3.5
사회기반시스템공학과	18	473	26.3	3	16.7%	57.7	243	51.4%	13.5	3.6
건축공학과	18	430	23.9	3	16.7%	57.2	187	43.5%	10.4	3.9
환경학및환경공학과	7	171	24.4	1	14.3%	50.9	93	54.4%	13.3	3.5
건축학과(5년제)[자연]	5	172	34.4	1	20.0%	54.1	74	43.0%	14.8	3.8
전자공학과	52	1929	37.1	10	19.2%	71.6	864	44.8%	16.6	3.6
생체의공학과	5	208	41.6	1	20.0%	67.2	93	44.7%	18.6	3.4
컴퓨터공학과	13	621	47.8	6	46.2%	70.1	279	44.9%	21.5	3.6
소프트웨어융합학과	7	271	38.7	2	28.6%	56.7	128	47.2%	18.3	3.8
응용수학과	8	151	18.9	1	12.5%	71.6	56	37.1%	7.0	3.6
응용물리학과	9	198	22.0	4	44.4%	64.1	81	40.9%	9.0	3.7
응용화학과	9	231	25.7	0	0.0%	64.7	103	44.6%	11.4	3.2
우주과학과	6	149	24.8	3	50.0%	60.1	52	34.9%	8.7	3.1
유전생명공학과	12	451	37.6	1	8.3%	70.8	230	51.0%	19.2	3.8
식품생명공학과	10	340	34.0	1	10.0%	58.0	151	44.4%	15.1	3.9
한방생명공학과	6	174	29.0	1	16.7%	61.5	77	44.3%	12.8	3.5
식물·환경 신소재공학과	5	158	31.6	0	0.0%	53.6	74	46.8%	14.8	3.9
원예생명공학과	5	131	26.2	0	0.0%	64.3	56	42.7%	11.2	3.8
의예과	21	2898	138.0	0	0.0%	81.9	980	33.8%	46.7	2.8
한의예과(자연)	23	2106	91.6	1	4.3%	74.1	558	26.5%	24.3	3.3
치의예과	15	1962	130.8	0	0.0%	70.1	663	33.8%	44.2	3.2
한약학과	8	301	37.6	1	12.5%	61.5	130	43.2%	16.3	3.7
약과학과	7	353	50.4	1	14.3%	61.6	202	57.2%	28.9	3.6
간호학과(자연)	5	307	61.4	0	0.0%	63.3	134	43.6%	26.8	2.9

2. 논술 분석

1) 출제 구분 : 계열 구분

계열	자연계열	수리 논술 문제 (문항 4 ~ 6 논제)

2) 출제 유형 : 수리 논술
제시문과 논제로 구성된 자료 제시형

- 자연계는 수학 기본 개념에 대한 이해도와 (단, 의·약학계는 수학과 과학(물리학, 화학, 생명과학) 응용력을 기반으로, 다양한 자연현상을 해석하고 논리적으로 설명하는 문제 출제
- 제시문과 논제에 대한 정확한 이해를 기반으로 한 응용력과 분석 능력 평가

3) 출제 문항 수
· 총 4~ 6 문항

4) 시험 시간
· **120분**

5) 시험 유의사항

<아래 내용 위반시 감점 또는 0점 처리할 수 있음>
1. 답안의 작성과 정정은 반드시 **본교에서 지급한 흑색 필기구**를 사용하시오.
2. 답안지에 제목을 쓰지 말고, 특별한 표시를 하지 마시오.
3. 답안지에 답안과 관련된 내용 이외에 어떤 것도 쓰지 마시오(예: 감사합니다 등).
4. 답안 작성 시 논제번호(예: 1, ×1)에 맞춰 답안을 작성하며, 논제별 소문제번호 [예: (1), (2)……]를 쓰고 이어서 논술하시오.
5. 답안 정정 시에는 두 줄을 긋고 작성하며, **수정도구(수정액 또는 수정테이프) 사용은 절대 불가**하므로 유의하시오.
6. 논제별 분량 제한을 준수하고 답안지는 반드시 1장만 사용하시오.
7. 지정된 답안의 작성 영역을 벗어나지 않도록 각별히 유의하시오.
8. 자연계 문제지는 총 2장 3쪽입니다.

6) 필기구
·**최종 답안 작성 시 학교에서 지급한 펜만 사용 가능 (연필, 샤프 사용 가능, 사인펜 사용 불가)**

7) 답안 양식

· 밑줄형 (노트형)

8) 논술 작성 요령 및 유의점

가. 출제의도를 파악하여 자신의 주장과 논리를 창의적으로 전개

나. 논제에 관해 자신이 알고 있는 지식을 서술하기보다는, 제시문의 내용과 관점을 근거로 논제가 요구하는 답안 작성

다. 차별성 있는 논거와 참신한 사례를 바탕으로 독창적인 답안 작성

라. 요구한 답안 분량을 반드시 준수해야 하며, 분량이 초과되거나 부족하면 감점

마. 문제지와 답안지에 표기된 논술작성 유의사항을 철저히 준수

3. 경희대 논술 전략

1) 경희대가 문제 유형 및 고득점 전략

경희대학교의 자연계 논술은 학교 공부에 충실하고 기본 개념을 잘 다지면 어려움 없이 풀 수 있는 수학 문제로 구성된다. 올해는 수능최저학력기준이 폐지되어 논술점수의 영향력이 강화되었다. 논술고사 준비는 학교 공부와 동떨어져 있는 것이 아니다. 논술은 체계적인 사고력과 문제해결력을 평가하는 전형이므로 내신, 수능 공부를 통해 이러한 역량을 기를 수 있다.

아울러 경희대학교 논술을 효과적으로 준비하려면 논술 모의고사와 기출문제를 꼼꼼히 살피는 것이 중요하다. 이미 시행된 논술 모의고사를 분석해야 한다. 그러면 논술 유형, 논제 수, 출제 범위 등 유익한 정보들을 얻을 수 있다. 그리고 최근 2~3년간 기출문제를 유심히 보아야 한다. 출제원리와 채점기준을 기출문제를 통해 파악할 수 있다. 또한 직접 기출문제를 실제 시험처럼 끝까지 고민하고 답안을 작성한 후 예시답안과 비교 분석하여야 한다. 자신의 실력이 어느 정도인지를 파악할 수 있고 이를 통해 부족한 단원을 보완할 수 있다..

마지막으로 입학처 홈페이지에서 제시하는 예시답안과 해설부분을 시간 날 때마다 여러 번 읽는 것은 매우 중요하다. 그렇게 함으로써 배경지식을 늘릴 수 있을 뿐만 아니라 대학이 원하는 답의 방향을 알 수 있다.

2) 경희대가 요구하는 논술 방향

경희대학교 자연계 논술은 통합교과형이 아니라 수학 교과만을 평가하는 특징을 가지고 있다. 그러나 수학 교과의 배경지식이나 기본 교과 지식의 수준을 평가하는 것은 아니다. 수학 교과의 여러 개념 및 원리를 문제해결에 활용하는 능력, 수리계산 능력 및 수리응용 능력, 그리고 문제 풀이 과정을 논리적으로 서술하는 능력 등을 평가하는 시험이다.

경희대학교 자연계 논술의 준비 방법은 첫째, 교과서의 원리 개념 학습 및 심화학습 부분을 공부하고, 둘째, 수능 기출문제로 꾸준히 논리적인 글쓰기 연습을 하는 것도 도움이 된다. 셋째, 대학의 논술 기출문제와 해설 자료를 공부하면서 배경지식을 습득해 유형에 익숙해 지는 연습 또한 중요하다.

수학논제는 『수학 Ⅰ』, 『수학 Ⅱ』, 『미적분』, 『기하와 벡터』, 『확률과 통계』에서 다루는 수학의 중요 개념들을 포괄해서 출제가 된다. 개념별로 살펴보면, 방정식과 부등식, 삼각함수, 지수함수, 로그함수, 수열과 급수, 극한, 미적분 및 응용, 벡터 등이 포함된다. 특히 미분과 적분에 관련된 부분은 이공계를 지원하는 학생이라면 반드시 공부를 해야 한다. 이 부분은 이공계 전공 자체를 공부하는 데 중요하게 사용되고 있으며 이 때문에 대학에 진학한 이후에도 더 깊고 자세하게 배우게 된다. 수학 문제는 위에서 열거한 수학의 개념들을 얼마나 잘 이해하고 있는가를 평가하고 있다. 따라서 무엇보다도 먼저 이러한 수학 개념을 정확하게 이해하고 응용할 수 있는 능력을 기르는 것이 필요하다.

3) 경희대 논술의 유의할 점

이공계에 종사하는 사람들도 자기 분야에 대한 논문이나 보고서 등을 작성해야 하는 경우가 있어 이공계 학생들에게도 글쓰기 연습은 필요하다. 이러한 취지에서 경희대학교 자연계 논술고사에서는 글쓰기도 중요 평가지표 중의 하나로 설정하고 있다. 자연계 논술고사에서의 글쓰기에 대한 평가는 화려한 수사적 표현보다는 논리적으로 자신이 의도하는 바를 정확하게 전달하고 있는가에 초점을 두고 있다. 특히, 수식을 나타낼 때에는
　　　① 수식이 나타나게 된 동기,
　　　② 수식에 쓰인 기호에 대한 설명,
　　　③ 수식의 풀이 및 전개 과정에 대한 설명
이 완전한 문장을 이루도록 쓰는 것이 바람직하다.

채점 시 자주 나타나는 감점의 요인이 되는 답안작성의 오류들을 지적하여 문제의 풀이 방법을 알고도 충분한 점수를 받지 못하는 경우를 미리 방지하는 데 도움을 주고자 한다.

① 수식만 나열하는 것은 감점 요인
- 수식을 완전한 문장 속으로 수리논술은 단순히 수학문제를 푸는 것도 아니고 논리전개를 언어로만 기술하는 언어논술도 아닌 두 부분이 적절히 결합된 영역이라고 보는 것이 옳다. 많은 학생들이 범하는 잘못된 답안작성의 대표적인 예가 이 둘을 적절히 조화시키지 못하는 것이라 할 수 있겠다. 일부 학생들은 '수리'라는 말에만 집착하여 처음부터 끝까지 수식만 나열하는 경우가 있고 어떤 학생은 '논술'이라는 말에 집착하여 수식을 이용하면 간략할 내용을 거의 언어로만 장황하게 기술하려는 경향을 보이기도 한다. 적절히 수식과 그림을 이용하되 수식은 제시문을 바탕으로 논리적으로 이끌어내고 또한 그 수식들은 완전한 문장 속에 포함시켜서 기술하는 것이 바람직하다.

② 논제의 의도를 파악
- 단서를 유심히 살펴야 학생들이 범하는 오류 중 상당수는 출제자의 의도를 제대로 파악을 하지 못해서 생긴다.

③ 최종 결과는 주어진 값들로 표현
- 많은 학생들이 감점을 당하는 또 다른 요인으로는 최종 결과를 제대로 표현을 못해서 생기는 경우가 많다.

④ 특수한 예를 들어 일반화하는 오류
- 채점 중에 간혹 발견되는 또 다른 대표적인 오류는 일반적인 증명을 요하는 문제에 특수한 하나의 예를 들어 일반화하는 오류이다.

⑤ 앞 문제를 풀지 못해도 다음 문제에 도전
- 앞선 논제에서 실수를 한 것 때문에 다음 논제에서 틀린 결과를 얻는 것에 대해서는 참작을 하여 부분 점수를 부여하기 때문에 앞선 논제를 풀지 못하였다고 포기하지 말고 앞선 논제의 결과를 다음 논제의 풀이에 사용하도록 하자.

⑥ 답안의 내용 외에 글씨체, 맞춤법, 띄어쓰기도 채점
자연계 논술 답안의 특성상 실질적인 답안의 내용 외에 채점에 영향을 미치는 부분은 거의 없다. 중요한 것은 문제에서 요구한 답안을 수식 혹은 그림을 사용하여 조리 있게 논리적

으로 기술하는 것이다. 수식은 깔끔하게 정리하여 문장과 문장 사이에 놓고, 그림을 그린 경우는 그림의 내용을 설명해 가면서 답안을 작성하면 된다.

이 과정에서 글씨체는 중요하지 않으나 누구나 알아볼 수 있도록 써야 한다. 맞춤법 및 띄어쓰기는 기본적인 소양이니 평소에 잘 훈련해 두는 것이 좋다. 답안 작성 후 검토 과정에서 잘못된 부분은 지우거나 혹은 두 줄을 긋고 고친 부분을 알아볼 수 있게만 작성하면 문제가 되지 않는다. 수학 교과서 예제 풀이와 같은 형식의 답안을 쓸 수 있도록 연습하면서 실전감각을 키우기 바란다.

II. 기출문제 분석

기출	출제 의도
2024학년도 기출 논술	[논제 Ⅰ]에서는 고등학교 교육과정의 직선의 방정식, 이차곡선, 등비급수 등을 종합적으로 잘 이해하고 응용할 수 있는지를 파악할 수 있는 논제를 출제하였다. 주어진 조건으로부터 수학적으로 추론하고 단순한 공식의 적용보다는 주어진 상황을 수학적으로 표현하여 문제해결을 위한 논리적인 방향을 제시하고 합리적으로 해결할 수 있는 능력을 갖추고 있는지를 평가하고자 하였다.
	[논제 Ⅱ]에서는 고등학교 수학 교육과정 수학 및 확률과 통계 영역에서 경우의 수, 순열, 조합, 중복조합 등의 중요한 개념을 잘 이해하여 종합적으로 문제에 적용할 수 있는지를 평가할 수 있는 논제를 출제하였다. 주어진 상황에서 수학의 이론과 개념을 활용하여 문제 해결 방법을 수립하고 최적의 해결 전략을 고려할 수 있는지를 평가하고자 하였다. 또한, 주어진 조건으로부터 수학적으로 추론하고 단순한 공식의 적용보다는 주어진 상황을 수학적으로 표현하여 문제해결을 위한 논리적인 방향을 제시하고 합리적으로 해결할 수 있는 능력을 갖추고 있는 지를 평가하고자 하였다.
	[논제 Ⅲ]에서는 고등학교 교육과정의 공간도형과 공간좌표의 성질들을 이해하고 응용할 수 있는 논제를 출제하였다. 단순히 공식을 암기하여 해결하는 것이 아닌, 공간상의 상황을 파악하고 이를 기본적인 개념들을 이용하여 문제를 해결하는 능력을 갖추고 있는지를 평가하고자 하였다.
2024학년도 모의 논술	[논제 Ⅰ]에서는 조건부확률의 의미를 이해하는가, 확률변수의 뜻을 알고 이를 이용하여 이산확률변수의 기댓값(평균)을 구할 수 있는가를 물어보고자 하였다.
	[논제 Ⅱ]에서는 부분적분을 활용하여 제시한 부정적분을 구할 수 있는가, 미분과 적분의 관계를 이해하여 함수의 증가와 감소를 파악하고, 함수의 그래프의 개형을 이용하여 제시한 문제를 해결할 수 있는가를 물어보고자 하였다.
	[논제 Ⅲ]에서는 원과 쌍곡선의 성질들에 대한 기본적인 이해를 바탕으로, 삼각함수 값의 극한 및 도출된 식의 부정적분을 계산하는 미적분과 기하에 대한 종합적인 문제 해결 능력을 평가하고자 하였다.
2023학년도 기출 논술 (토요일)	[논제 Ⅰ]에서는 고등학교 수학 교육과정의 타원의 방정식과 타원에 접하는 접선의 방정식을 활용하여 주어진 점을 지나는 타원의 접선 및 접점을 구하고, 초점의 좌표를 구해 두 점 사이의 길이를

	구하는 문제를 출제하여 논리적으로 사고하고 수학적으로 추론할 수 있는 능력을 평가하고자 하였다. 단순히 공식을 이용하여 문제의 답을 구하는 능력보다는 주어진 상황을 이해한 후 논리적으로 문제를 해결할 수 있는 능력을 갖고 있는지를 평가하고자 하였다.
	[논제 Ⅱ]에서는 고등학교 교육과정의 함수의 미분과 적분의 기본 개념을 종합적으로 잘 이해하고 응용할 수 있는지를 파악할 수 있는 논제를 출제하였다. 주어진 조건으로부터 수학적으로 추론하고 단순한 공식의 적용보다는 주어진 상황을 수학적으로 표현하여 문제해결을 위한 논리적인 방향을 제시하고 합리적으로 해결할 수 있는 능력을 갖추고 있는지를 평가하고자 하였다.
	[논제 Ⅲ]에서는 고등학교 교육과정의 조건부 확률과 사건의 독립과 종속을 종합적으로 잘 이해하고 응용할 수 있는지를 파악할 수 있는 논제를 출제하였다. 주어진 조건으로부터 수학적으로 추론하고 단순한 공식의 적용보다는 주어진 상황을 수학적으로 표현하여 문제해결을 위한 논리적인 방향을 제시하고 합리적으로 해결할 수 있는 능력을 갖추고 있는지를 평가하고자 하였다.
2023학년도 기출 논술 (일요일)	[논제 Ⅰ]에서는 고등학교 교육과정의 이차함수, 이차곡선, 포물선, 접선의 방정식 등의 개념을 종합적으로 잘 이해하고 응용할 수 있는지를 파악하고자 하였다. 수학, 수학I, 수학II, 미적분, 기하 등의 과목에서 배운 내용을 바탕으로 단순한 공식의 적용보다는 주어진 상황을 수학적으로 표현하고 문제해결을 위한 논리적인 방향을 제시하고 합리적으로 해결할 수 있는 능력을 갖추고 있는지를 평가하고자 하였다.
	[논제Ⅱ]에서는 고등학교 교육과정의 미분을 활용한 함수의 증가와 감소, 함수의 그래프의 개형, 적분을 활용한 입체도형의 부피 등을 종합적으로 잘 이해하고 응용할 수 있는지를 파악할 수 있는 논제를 출제하였다. 주어진 조건으로부터 수학적으로 추론하고 단순한 공식의 적용보다는 주어진 상황을 수학적으로 표현하여 문제해결을 위한 논리적인 방향을 제시하고 합리적으로 해결할 수 있는 능력을 갖추고 있는지를 평가하고자 하였다.
	[논제 Ⅲ]에서는 고등학교 수학 교육과정 확률과 통계 영역 확률의 독립, 독립시행, 확률변수, 이항분포 및 정규분포 등의 중요한 확률의 중요한 개념을 잘 이해하여 종합적으로 문제에 적용할 수 있는지를 평가할 수 있는 논제를 출제하였다. 주어진 실생활과 관련된 상황에서 수학의 이론과 개념을 활용하여 문제 해결 방법을 수립하고 최적의 해결 전략을 고려할 수 있는지를 평가하고자 하였다. 또한, 주어진 조건으로부터 수학적으로 추론하고 단순한 공식의 적용보다는 주어진 상황을 수학적으로 표현하여 문제해결을 위한 논리

	적인 방향을 제시하고 합리적으로 해결할 수 있는 능력을 갖추고 있는지를 평가하고자 하였다.
2023학년도 모의 논술	[논제 I]에서는 주어진 상황을 정적분의 성질, 사잇값 정리 등을 이용하여 수학적으로 표현할 수 있는 지를 평가하고자 하였다. [논제 I]-(1)에서는 정적분과 넓이의 관계를 이해하고 있는지, 그리고 적분 계산을 정확하게 할 수 있는지를 평가하고자 하였다. [논제 I]-(2)에서는 사잇값 정리를 잘 이해하고 있는 지와 그것을 이용하는 능력을 평가하고자 하였다.
	[논제 II]에서는 이차곡선인 타원의 방정식을 이해하고, 무리식의 계산을 정확하게 수행할 수 있는지 평가하는 것을 목표로 하였다. [논제 II]-(1)에서는 삼각형의 닮음을 이용하여 장축과 단축의 길이를 구하고, 이를 이용하여 타원의 초점을 찾을 수 있는지 평가하며, [논제 II]-(2)에서는 삼각형의 닮음을 이용하여 타원의 방정식을 찾고, 논리적으로 부등식을 설명할 수 있는지 평가하고자 하였다.
	[논제 III]에서는 미래의 상황을 논리적으로 구성하는 능력, 확률과 기댓값을 계산하는 능력을 평가하는 것을 목표로 하였다. [논제 III]-(1)에서는 3년 후의 상황을 수형도로 그려 각 상황별 이익과 확률을 구하고 이를 이산확률분포로 표현하여 기댓값을 찾을 수 있는지 평가하며, [논제 III]-(2)에서는 일반화된 상황에서 기댓값을 계산하고 항등식을 이용하여 이를 정리한 후 연립방정식을 풀 수 있는지 평가하고자 하였다.
2022학년도 기출 논술 (토요일)	[논제 I] (1)에서는 고등학교 수학 교육과정인 도함수를 활용하여 주어진 점들로부터 주어진 곡선으로의 접선들을 논리적 사고력으로 정확히 구하는 문제를 출제하였다. 그리고 이 접선들의 x절편과 관련된 수열을 수학적으로 추론하고 그 수열 항들 간의 비율의 극한을 구하는 문제를 출제하였다.
	[논제 I] (2)에서는 주어진 곡선과 이 곡선에서의 접선 및 x축으로 둘러싸인 도형을 논리적으로 정확히 추론하는 문제를 출제하였다. 그리고 이 도형을 밑면으로 하는 입체도형의 부피를 정적분을 이용하여 정의할 수 있는지를 평가하는 문제를 출제하였다. 부피를 구하기 위해 로그함수의 적분이 필요한데 부분적분 방법을 두 번 적용하는 정확하고 섬세한 계산능력을 평가하는 문제를 출제하였다.
	[논제 II]에서는 고등학교 수학 교육과정 문자와 식 영역 다항식의 인수분해, 삼차방정식의 풀이, 확률과 통계 영역 경우의 수의 합의 법칙과 곱의 법칙, 확률의 기본 성질, 확률의 덧셈정리와 곱셈정리, 조건부확률 등의 기본 개념을 종합적으로 잘 이해하고 응용할 수 있는지를 파악할 수 있는 논제를 출제하였다. 주어진 실생활과 관

	련된 상황에서 수학의 지식과 기능을 활용하여 해결 전략을 탐색하고 최적의 해결 방안을 선택하여 주어진 문제를 해결하는 문제 해결 능력과 수학적 사실을 추측하고 논리적으로 분석하고 정당화하는 추론 능력 등 단순한 공식의 적용보다는 논제를 수학적으로 표현하여 문제 해결을 위한 논리적인 방향을 제시하고 합리적으로 해결하는데 필요한 능력을 갖추고 있는지를 평가하고자 하였다.
	[논제 III]에서는 고등학교 수학 교육과정의 접선의 방정식, 함수의 그래프, 두 점 사이의 거리, 유리함수, 함수의 극한 등의 내용을 바탕으로 제시된 상황을 수학적 문제로 표현할 수 있는지와 그렇게 표현된 문제를 논리적으로 해결할 수 있는지에 대한 능력을 평가하고자 하였다. 유리함수의 개형을 파악하고, 접선의 의미를 이해하며, 직선과 곡선 사이의 관계를 이용해서 주어진 상황을 수학적으로 해결할 수 있는 능력을 가지고 있는지를 평가하고자 하였다.
	[논제 IV]에서는 고등학교 수학 교육과정의 삼각함수의 정의와 덧셈정리, 매개변수로 표시된 함수의 미분법 및 좌표평면 위의 점이 움직인 거리를 구하는 적분법을 활용하여 조건을 만족시키는 점이 움직인 거리를 구하는 문제를 출제하여 논리적으로 사고하고 수학적으로 추론할 수 있는 능력을 평가하고자 하였다. 단편적인 수학의 공식의 활용 능력보다는 주어진 조건을 종합적으로 이해하여 주어진 상황을 수학적 문제로 해석하고, 그 문제를 체계적이고 합리적으로 해결할 수 있는 능력을 갖고 있는지를 평가하고자 하였다.
2022학년도 기출 논술 (일요일)	고등학교 수학 교육 과정의 삼각함수의 정의와 등비급수의 합 공식 및 함수의 극한을 활용하여 조건을 만족시키는 원의 둘레의 합과 삼각형의 둘레의 길이의 비의 극한을 구하는 문제를 출제하여 논리적으로 사고하고 수학적으로 추론할 수 있는 능력을 평가하고자 하였다. 단편적인 수학의 공식의 활용 능력보다는 주어진 조건을 종합적으로 이해하여 주어진 상황을 수학적 문제로 해석하고, 그 문제를 체계적이고 합리적으로 해결할 수 있는 능력을 갖고 있는지를 평가하고자 하였다.
	[논제II]에서는 고등학교 교육과정의 수직선 위에서 움직이는 점의 속도, 위치에 관한 기본 개념과 함수의 극값, 부분적분법 등을 종합적으로 잘 이해하고 응용할 수 있는지를 파악할 수 있는 논제를 출제하였다. 주어진 조건으로부터 수학적으로 추론하고 단순한 공식의 적용보다는 주어진 상황을 수학적으로 표현하여 문제해결을 위한 논리적인 방향을 제시하고 합리적으로 해결할 수 있는 능력을 갖추고 있는지를 평가하고자 하였다.
	자연계 [논제 III] (1)에서는 고등학교 수학 교육과정 확률과 통계 영역

	경우의 수의 합의 법칙과 곱의 법칙, 확률의 기본 성질, 확률의 덧셈정리와 곱셈정리, 사건의 독립과 종속 등의 기본 개념을 종합적으로 잘 이해하고 응용할 수 있는지를 파악할 수 있는 논제를 출제하였다. 주어진 실생활과 관련된 상황에서 수학의 지식과 기능을 활용하여 해결 전략을 탐색하고 최적의 해결 방안을 선택하여 주어진 문제를 해결하는 문제 해결 능력과 수학적 사실을 추측하고 논리적으로 분석하고 정당화하는 추론 능력 등 단순한 공식의 적용보다는 논제를 수학적으로 표현하여 문제 해결을 위한 논리적인 방향을 제시하고 합리적으로 해결하는데 필요한 능력을 갖추고 있는지를 평가하고자 하였다.
	자연계 [논제 III] (2)에서는 고등학교 교육과정의 경우의 수, 여러 가지 순열 등의 기본 개념을 종합적으로 잘 이해하고 응용할 수 있는지를 파악할 수 있는 논제를 출제하였다. 주어진 상황을 수학적으로 표현하여 문제 해결을 위한 논리적인 방향을 제시하고 합리적으로 해결할 수 있는 능력을 갖추고 있는지를 평가하고자 하였다.
2022학년도 모의 논술	[논제 I](1)에서는 인수분해 공식을 이용하여 절대부등식을 만들고, 4차 방정식을 풀어 조건에 맞는 최댓값을 찾는 능력을 평가하고자 하였다.
	[논제 I](2)에서는 주어진 성질을 가지는 함수의 극대와 극소를 판정하고 설명할 수 있는 능력을 평가하고자 하였다.
	[논제 2](1)에서는 다항식의 인수분해를 이용하고, 경우를 적절하게 분류하여 경우의 수를 구하는 논리적인 사고력을 평가하려 하였다.
	[논제 2](2)에서는 (1)에서의 문제 해결 방법을 응용하여 수학적 확률을 구하는 합리적인 판단력을 평가하려 하였다.
	[논제 3](1)에서는 이등변삼각형의 성질과 삼각함수의 덧셈정리를 이용하여 삼각형의 넓이를 구하고 수열의 극한을 계산하는 능력을 평가하고자 하였다.
	[논제 3](2)에서는 도형의 닮음, 삼각함수를 이용한 삼각형의 넓이와 미적분의 급수를 사용하여 극한을 계산하는 능력을 평가하고자 하였다.
	[논제 4](1)에서는 원주각의 성질, 원주각과 중심각, 이등변삼각형의 성질, 피타고라스 정리를 이용하여 삼각형의 넓이의 합을 계산하는 능력을 평가하고자 하였다.
	[논제 4](2)에서는 미분계수, 함수의 증가와 감소 및 함수의 최댓값, 최솟값을 사용하여 삼각형의 둘레의 합을 계산하는 능력을 평가하고자 하였다.
2021학년도 기출 논술	논제 I-1 수학에서는 고등학교 수학 교육과정인 삼각함수의 정의와 그 도함수를 활용하여 함수가 최댓값과 최솟값을 가질 때의 조

(토요일)	건을 수학적으로 추론하고 그 근거를 논리적으로 사고하는 문제를 출제였다.
	논제 Ⅰ-2 수학에서는 주어진 도형들 사이의 관계와 삼각함수를 이용하여 제시된 조건을 만족시키는 각에 대한 삼각비를 구하고 선분의 길이를 함수로 표현하고, 적분을 계산하기 위한 관계식을 정확히 추론하고 근거를 논술하는 능력을 평가하고자 하였다. 단편적인 수학지식의 직접적인 적용 능력보다는 주어진 상황을 종합적으로 이해하여 문제해결을 위한 논리적인 방향을 제시하고 합리적으로 해결할 수 있는 능력을 갖추고 있는지를 평가하고자 하였다.
2021학년도 기출 논술 (일요일)	논제 Ⅰ-1에서는 이항분포를 따르는 이산확률변수의 평균과 분산을 구하고, n이 충분히 클 때 이항분포를 정규분포로 근사됨을 이해하여 문제를 해결할 수 있는 능력을 평가하고자 하였다.
	논제 Ⅰ-2에서는 삼각형의 합동, 삼각비 및 사인법칙을 이용하여 구하려는 삼각형의 넓이를 논리적으로 제시하고 주어진 정적분을 치환적분을 이용하여 계산할 수 있는 능력을 평가하고자 하였다.
	논제 Ⅰ-3 (1)에서는 도함수의 정의를 이용하여 주어진 함수방정식을 풀 수 있는 능력을 평가하고자 하였다. 논제 Ⅰ-3 (2)에서는 정적분에 대한 치환적분과 부분적분을 이용하여 원하는 값을 계산할 수 있는 능력을 평가하고자 하였다. 논제 Ⅰ-3 (3)에서는 적분과 미분의 관계를 이해하여 함수 $h(x)$와 접선의 방정식을 구할 수 있는 능력을 평가하고자 하였다.
2021학년도 모의 논술	[논제 Ⅰ-1] (1)에서는 이차함수의 도함수를 이용하여 그래프에 접하는 접선의 방정식을 구하고, 이를 통하여 원의 중심을 찾는 방법을 논술하도록 하였다. [논제 Ⅰ-1] (2)에서는 원의 중심과 곡선 위의 점 사이의 거리를 함수로 표현하고, 도함수를 이용하여 함수의 증가와 감소, 극대와 극소를 통하여 변화 현상을 다루고, 문제를 논리적으로 해결할 수 있는 능력을 평가하고자 하였다.
	[논제 Ⅰ-2] (1)에서는 경우의 수를 구하는 합의 법칙과 같은 것이 있는 순열의 수를 이용하여 조건을 만족하는 자연수의 값을 찾는 논리적인 사고를 평가하고자 하였다. [논제 Ⅰ-2] (2)에서는 경우의 수를 이용하여 사건이 일어날 가능성을 수치화한 확률의 값을 구하고 이를 통해 문제를 해결하고 미래를 예측하며 합리적인 판단을 하는 능력을 평가하고자 하였다.
2020학년도 기출 논술 (토요일)	논제 Ⅰ 수학에서는 고등학교 수학 교육과정인 수열의 극한, 평면곡선과 접선의 방정식, 입체도형의 부피를 미분과 적분을 이용하여 논리적으로 사고하는 문제를 출제하였다. 주어진 도형들 사이의 관계를 이용하여 선분의 길이 및 도형의 넓이와 부피를 논리적으로 기술하고, 도함수의 부호에 따른 함수의 증가 및 감소구간을 고려

	하여 함수의 최댓값에서의 조건 사이의 관계를 수학적으로 추론하고 그 근거를 논리적으로 서술할 수 있는 능력을 평가하고자 하였다. 단편적인 수학지식의 직접적인 적용 능력보다는 주어진 상황을 종합적으로 이해하여 문제해결을 위한 논리적인 방향을 제시하고 합리적으로 해결할 수 있는 능력을 갖추고 있는지를 평가하고자 하였다.
	[논제 I-1] 제시문을 이용하여 접선의 방정식과 점 D를 구하고, 도형들 사이의 관계를 이용하여 각 $\angle CDQ$와 직선의 방정식을 파악한다.
	[논제 I-2]점 P에서의 접선과 수직인 직선 위에 있음을 이용하여 관계식을 세우고, 선분이 같음을 통해 $g(a)$와 $h(a)$와 이 식들의 극한값을 구한다.
	[논제 I-3]은 앞 문제의 결과를 이용하여 x와 y의 관계식을 구한다. 미분과 적분의 성질을 이용하여 $\alpha(r)$와 $\beta(r)$를 구한다.
	I-(4)번은 좌표를 x에 관한 식으로 표현하여 삼각기둥의 부피를 구하고, 미분의 성질을 이용하여 부피의 최댓값을 구한다. 제시문 [다]와 [라]를 이용하여 입체도형의 부피를 r에 관한 식으로 나타내고 치환을 통하여 부피의 극한을 구하여야 한다.
2020학년도 기출 논술 (토요일)	논제 I 수학에서는 고등학교 수학 교육과정인 이차방정식의 근과 계수와의 관계, 직선과 곡선의 성질, 미분과 적분을 이용하여 논리적으로 사고하는 문제를 출제하였다. 주어진 직선과 도형 또는 곡선의 성질 및 관계를 이용하여 선분의 길이를 삼각함수와 관련하여 논리적으로 기술하고 도함수의 부호에 따른 함수의 증가 및 감소구간을 고려하여 함수의 최댓값에서의 조건 사이의 관계를 수학적으로 추론하고 그 근거를 논리적으로 서술할 수 있는 능력을 평가하고자 하였다. 단편적인 수학지식의 직접적인 적용 능력보다는 주어진 상황을 종합적으로 이해하여 문제해결을 위한 논리적인 방향을 제시하고 합리적으로 해결할 수 있는 능력을 갖추고 있는지를 평가하고자 하였다.
2020학년도 모의 논술	논제 I-1 에서는 논제에서 주어진 상황을 그래프를 통해 이해하고 논리적으로 해결할 수 있는가를 물어보고 있다. 고교과정에서 다루는 정적분을 이용하여 주어진 영역의 넓이를 논리적으로 제시할 수 있는 능력과 논제에서 주어진 상황을 미지수를 이용하여 방정식을 만들고, 이 방정식을 풀 수 있는 능력을 평가하고자 하였다.
	논제 I-2에서는 거듭제곱함수와 그 그래프에 접하는 접선의 방정식이 이루는 도형의 넓이와 각에 대한 기본적인 성질과 미분법 및 삼각함수의 활용을 통한 그 응용을 물어보고 있다. 단편적인 지식보다는 수학 교육 과정에서 학습한 내용에 대한 전반적인 이해를

	바탕으로 논제를 해결하고 그 방법을 논술하도록 하였다.
2019학년도 수시 논술 [토요일]	논제 I 수학에서는 고등학교 수학 교육과정인 평면곡선, 삼각함수 성질, 미분과 적분을 이용하여 논리적으로 사고하는 문제를 출제하였다. 주어진 도형들 사이의 관계를 이용하여 선분의 길이 및 도형의 넓이와 부피를 삼각함수와 관련하여 논리적으로 기술하고, 도함수의 부호에 따른 함수의 증가 및 감소구간을 고려하여 함수의 최댓값에서의 조건사이의 관계를 수학적으로 추론하고 그 근거를 논리적으로 서술할 수 있는 능력을 평가하고자 하였다. 단편적인 수학지식의 직접적인 적용 능력보다는 주어진 상황을 종합적으로 이해하여 문제해결을 위한 논리적인 방향을 제시하고 합리적으로 해결할 수 있는 능력을 갖추고 있는지를 평가하고자 하였다.
	[논제1-1] 접선의 방정식을 구하고, 점과 직선 사이의 거리를 이용하여 원의 반지름의 길이를 구한다. 또한 연립방정식을 풀어 점A의 좌표를 구할 수 있다.
	[논제1-2] 타원의 방정식을 이용하여 삼각형 면적을 구한다. 또한, 치환적분 및 기하학적 방법으로 입체도형의 부피를 구할 수 있다.
	[논제1-3] 선분 CD의 길이를 치환을 통해 간단히 표현한다. 미분을 이용하여 선분 CD 길이의 최솟값을 구한다.
	[논제1-4] $\tan\theta$를 t에 관한 함수로 표현하고, 치환적분을 이용하여 함수 f를 적분한다. 또한, $\tan\theta$를 x에 관한 함수로 표현하고, 치환적분을 이용하여 함수 g를 적분한다
2019학년도 수시 논술 [일요일]	고등학교 교육과정의 다항식의 연산, 원의 방정식, 평면곡선과 접선, 미분계수와 도함수, 도함수의 활용, 함수의 극한, 함수의 적분과 활용 등의 기본 개념을 종합적으로 잘 이해하고 응용할 수 있는지를 파악할 수 있는 논제를 출제하였다. 단순한 공식의 적용보다는 주어진 상황을 수학적으로 표현하여 문제를 해결하는 능력과 그 과정을 논리적으로 서술하는 능력을 평가하려고 하였다.
	[논제 I-1] 주어진 조건으로부터 원의 반지름을 구할 수 있다. 또한 도형의 넓이 또한 계산할 수 있다.
	[논제 I-2] 곡선의 접선으로부터 원의 중심에 대한 방정식을 나타낼 수 있다. 또한, 원의 위치에 관한 조건으로부터 원의 중심의 좌표도 구할 수 있다.
	[논제 I-3] 주어진 함수를 합성함수의 형태로 나타내 표현하고, 합성함수의 미분과 도함수의 부호로부터 함수의 증가, 감소를 판단하여야 한다. 이를 토대로 주어진 함수의 우극한을 계산할 수 있다.
	[논제 I-4] 제시된 영역의 넓이를 함수로 표현하고, 함수의 우극한을 계산할 수 있다.
2019학년도	고등학교 수학 교육과정에서 학습하는 기본 개념들을 종합적으로

온라인 모의 논술	잘 이해하고 활용할 수 있는지를 평가하기 위하여 실수와 그 계산, 쌍곡선의 방정식 및 점근선, 일대일 함수 및 일대일 대응, 수학적 귀납법 및 귀납적으로 정의된 수열, 수열의 극한에 대한 기본 성질과 그 응용을 물어보고 있다. 단편적인 지식보다는 수학 교육과정에서 학습한 내용에 대한 전반적인 이해를 바탕으로 논제를 해결하고 그 방법을 논술하도록 하였다.
	[논제 I-1]은 근호를 포함하는 식의 계산을 통하여 서로 같은 실수들 사이의 관계를 논술하도록 하였다.
	[논제 I-2] (1)은 쌍곡선 위의 정수 좌표점들로 이루어진 집합과 실수의 한 부분집합 사이의 관계를 일대일 대응의 정의를 통하여 논술하도록 하였다. (2)는 (1)에서 정의한 실수의 부분집합에 속하는 원소들의 성질을 근호를 포함하는 식의 계산과 수학적 귀납법을 통해 논술하도록 하였다. (3)은 (1)에서 정의한 실수의 부분 집합의 원소들이 만족하는 귀납적인 관계에 의해 정의된 수열과, 수렴하는 수열의 극한에 대한 기본 성질을 이용하여 쌍곡선의 점근선에 대한 개념을 논술하도록 하였다.
2019학년도 오프라인 모의 논술	고등학교 수학 교육과정에서 학습하는 기본 개념들을 종합적으로 잘 이해하고 활용할 수 있는지를 평가하기 위하여 입체도형의 겉넓이와 부피, 점과 직선 사이의 거리, 미분법과 함수의 최대, 최소 등의 성질과 응용을 물어보고 있다. 단편적인 지식보다는 수학 교육과정에서 학습한 내용에 대한 전반적인 이해를 바탕으로 논제를 해결하고 그 방법을 논술하도록 하였다.
	[논제 I-1] 한 원뿔이 다른 원뿔의 내부에 포함될 때, 두 원뿔의 높이와 밑면 반지름의 관계식을 유도하고 그로부터 바깥 원뿔의 부피를 최소화하는 조건을 함수의 미분을 통해 논술하도록 하였다.
	[논제 I-2] 원뿔에 내접하는 구에 관한 문제로서 구의 반지름, 원뿔의 높이, 밑면 반지름의 관계식을 유도하고 그로부터 바깥 원뿔의 겉넓이를 최소화하는 조건을 함수의 미분을 통해 논술하도록 하였다.
	[논제 I-3] 두 번째 논제의 원뿔과 구 사이에 추가할 수 있는 가장 큰 원뿔을 점과 직선 사이의 거리를 통해 해결하는 방법을 논술하도록 하였다.
	[논제 I-4]는 정다각뿔에 내접하는 구에 관한 문제로서 구의 반지름, 각뿔의 높이, 밑면 정다각형의 한 변의 길이의 관계식을 유도하고, 그로부터 바깥 각뿔의 겉넓이를 최소화하는 조건을 함수의 미분을 통해 논술하도록 하였다.
2018학년도 논술	논제 I 수학에서는 고등학교 수학 교육과정인 삼각함수의 정의와 그 도함수를 활용하여 함수가 최댓값을 가질 때의 조건들을 논리적

(토요일)	으로 사고하는 문제를 출제였다. 주어진 도형들 사이의 관계를 이용하여 선분의 길이 및 도형의 넓이를 삼각함수와 관련하여 논리적으로 기술하고, 도함수의 부호에 따른 함수의 증가 및 감소구간을 고려하여 함수의 최댓값에서의 조건 사이의 관계를 수학적으로 추론하고 그 근거를 논리적으로 서술할 수 있는 능력을 평가하고자 하였다. 단편적인 수학지식의 직접적인 적용 능력보다는 주어진 상황을 종합적으로 이해하여 문제해결을 위한 논리적인 방향을 제시하고 합리적으로 해결할 수 있는 능력을 갖추고 있는지를 평가하고자 하였다.
	논제 I-1은 도형들 사이의 관계와 삼각함수의 성질을 이용하여 주어진 길이를 논리적으로 제시하고, 미분과 직각삼각형에서 삼각함수의 관계를 이용하여 문제를 해결할 수 있는 능력을 평가하고자 하였다.
	논제 I-2에서는 고교과정에서 다루는 기하학적 개념을 이용하여 주어진 도형의 넓이를 논리적으로 제시할 수 있는 능력을 평가하고자 하였다.
	논제 I-3에서는 도함수의 부호와 함수의 증가 및 감소 사이의 관계를 이용하여 함수가 최댓값을 가지는 경우를 해석할 수 있는 능력을 평가하고자 하였다.
	논제 I-4에서는 앞의 논제에서 제시한 함수들이 최댓값을 가지는 α, β의 탄젠트 함숫값 $\tan\alpha$와 $\tan\beta$의 크기 비교와, 탄젠트 함수가 증가함수라는 사실을 이용하여 $\beta > \alpha$임을 설명할 수 있는 논리적인 사고를 평가하고자 하였다.
2018학년도 수시 논술 (일요일)	논제 I 수학에서는 고등학교 교육과정의 다항식의 연산, 이차방정식과 이차함수, 미분계수와 도함수, 도함수의 활용, 삼각함수의 뜻과 그래프 등의 기본 개념을 종합적으로 잘 이해하고 응용할 수 있는지를 파악할 수 있는 논제를 출제하였다. 단순한 공식의 적용보다는 주어진 상황을 수학적으로 표현하여 문제를 해결하는 능력과 그 과정을 논리적으로 서술하는 능력을 평가하려고 하였다.
	논제 I-1에서는 기본적인 평면도형의 넓이를 구하는 방법에 대한 이해를 바탕으로 수학 I의 '다항식의 연산', '이차방정식과 이차함수' 단원에서 학습하는 내용을 이용하여, 주어진 도형의 넓이를 함수로 나타내고 함수의 특성을 다양하게 활용하는 통합적인 해석 능력 및 응용 능력을 평가하려고 하였다. 다항식의 연산을 이용하여 주어진 도형의 넓이를 이차함수로 표현하고, 완전제곱식 꼴로 나타내어 넓이가 최소가 되는 경우를 서술하도록 하였다. 또한 도형의 넓이의 함수가 일정한 값을 갖도록 하는 상수를 찾는 방법을 서술하도록 하였다.

논제 I-2에서는 미적분 I의 '미분계수와 도함수', '도함수의 활용', 미적분 II의 '삼각함수의 뜻과 그래프' 단원에서 학습하는 내용을 응용하여, 주어진 도형의 둘레의 길이와 넓이를 함수로 나타내고 함수의 최댓값과 최솟값을 구하는 종합적인 문제 해결 능력과 논리적 표현 능력을 평가하려고 하였다. 호도법과 삼각함수의 정의를 이용하여 도형의 둘레의 길이를 함수로 표현하고 여러 가지 미분법을 응용하여 함수의 최댓값을 구하는 방법을 논술하도록 하였다. 또한 도형의 넓이를 함수로 표현하고 도함수를 활용하여 함수의 최솟값을 구하는 방법을 논술하도록 하였다.

III. 자연계 논술이란?

1. 논술이란?

1) 논술이란?

어떤 문제에 대해 자기 나름의 주장이나 견해를 내세운 다음, 여러 가지 근거를 제시하여 그 주장이나 견해가 옳음을 증명하는 글쓰기 활동을 말한다. 따라서 논술의 가장 기본적인 요소는 주장과 근거이다. 다시 말해 어떤 주제에 관해서 자신의 견해를 밝히고 자기 의견을 내세우는 글이 바로 논술이다. 때문에 논술은 특별히 논리적이어야 한다는 요구를 받게 된다. 왜냐하면 여러 가지 의견이 있을 수 있는 문제에 대해 자신의 의견을 세워 다른 사람을 설득하려면, 그 주장이 충분한 근거 위에서 논리적으로 개진될 때만 가능하기 때문이다.

2) 대한민국 논술 고사는?

한국에서의 대학 입시 논술고사는 실제 교과 과정과 교과서가 기본이 되어 응용된 사고와 풀이 능력과 지식을 바탕으로 한다. 논술고사는 비판적으로 글을 읽는 능력과 창의적으로 문제를 설정하고 해결하는 능력 그리고 논리적으로 서술하는 능력을 종합적으로 평가하는 시험이다. 비판적으로 글을 읽는다는 것은 능동적으로 자신의 관점에서 글을 읽는 것을 말하며, 창의적으로 문제를 설정하고 해결하는 능력이란 심층적이고 다각적으로 논제에 접근함으로써 독창적인 사고와 풀이를 이끌어낼 수 있는 능력을 말한다. 그리고 논리적 서술 능력은 글 구성 능력, 근거 설정 능력, 표현 능력 등을 포괄한다.

3) 자연계 논술? 그리고 그 변화

그런데 대한민국 논술 고사에서 언급한 글쓰기의 분석은 자연계에서는 조금 다르게 사고하고 접근하여야 한다. 즉 모든 글은 일반적으로 3가지 종류로 나뉘어진다. 시, 소설 등 문학 작품과 같은 글쓰기인 창작적 글쓰기(creative writing) 와 설명문이나 해설문의 글쓰기는 해명적 글쓰기(expository writing), 그리고 논설문의 글쓰기인 비판적 글쓰기(critical writing) 가 있다. 하지만, 현재 대한민국의 자연계 논술은 해명적 글쓰기 즉 설명문의 형태가 주로 이루어져 있고, 비판적 글쓰기가 일부 있는 형태이다.

2. 자연계 논술의 대비

1) 논술의 기본 용어

① 논제 : 논술의 문제를 의미한다.

반드시 해결하고 접근하여야 할 논술 시험의 대상이다.

　가. 중심 논제 : 채점할 때 가장 배점이 높으며, 핵심적으로 해결해야 할 논술의 문제

　나. 세부 논제 : 큰 논제 속에 포함된 작은 문제, 각 단계별 채점의 기준이 되며

세부 채점 항목으로 필수 해결 항목이다.

② 논거 : 논술에서 설명하고 주장하는 논리적인 근거 혹은 이유

③ 주장 : 수험생이 생각하고 채점자에게 알리고 싶은 생각

④ 제시문 : 보기 지문을 말한다.

　가. 출제자가 논제해결을 위해 보여주는 다양한 글과 자료

　나. 각종 공식, 수학 이론, 과학 이론, 그래프, 도표, 그림 등 자료가 정해져 있지는 않다. 하지만 고등학교 교과서를 가장 많이 인용하고, 고등학교 교과 과정으로 분석하고 판단할 수 있는 내용을 제시한다.

⑤ 개요 : 논제에 맞게 더 구체적으로는 세부 논제에 맞게 글의 진행방향을 간략하게 정리하는 과정이다.

2) 자연계 논술의 명령어

논술 고사 후 대학의 발표 자료를 보면 논술은 출제자의 의도에 부합하게 글을 써야 한다고 강조한다. 그런데 출제자의 의도를 파악하는 것은 자칫 상당히 모호하고 주관적인 것으로 판단하기 쉽다.

하지만 자연계 논술에서는 명령어가 한정되어 있다. 그 명령어들을 잘 익히고 의미를 파악한다면 훨씬 논술의 이해가 높아질 것이다. 또한 대학의 채점기준에는 명령어의 요구 조건을 충족 여부를 평가한다. 그러므로 자연계 논술의 명령어는 처음 시작하는 수험생에게는 아주 기초적이지만 절대 잊지 말아야 할 중요한 핵심이다.

① ~ 에 대해 논술하시오.

　; 주장을 밝히고 근거를 제시한다.

② ~ 에 대해 설명하시오.

　: 사실, 주장 등을 쉽게 풀어서 밝힌다.

> ● ~ 제시문 간의 관련성을 설명하시오.
> ● ~ 제시문의 논리적 타당성과 문제점을 설명하시오.
> ● ~ 제시문을 참고하여 주어진 자료의 특징을 설명하시오.
> ● ~ 제시문의 관점에서 왜 그런 현상이 생기는지 그 이유를 설명하시오.

③ ~ 의 비교하시오. 혹은 대조하시오.

　: 공통점과 차이점을 중심으로 설명한다.

> ● ~ 공통점과 차이점을 설명하시오.

④ ~ 을 분석하시오.

　: 주제를 구성요소로 나누고 각 부분의 의미와 상호관계를 밝힌다.

⑤ ~ 제시문과 주어진 자료를 참고하여 현상을 예측해 보시오.

　: 주어진 자료를 해석하고 자료로부터 얻을 수 있는 시간에 따른 변화나 자료의 발생 이유를 살핀다.

⑥ ~ 제시문의 문제점을 지적하고 그 문제점을 해결할 방법을 제시하시오.

　: 보통은 수학이나 과학의 역사에서 발생했던 여러 오류나 실험과정에서 나타난 문제점을 가지고 있다. 또한 이론이나 실험, 학생의 실험보고서 등과 같이 확실한 오

류가 있는 제시문을 주기도 한다. 분명히 문제점을 파악하여 답안에 서술하고 문제점이나 해결할 수 있는 방법 등을 명확히 하여야 한다.

> ● ~ 제시문의 관점에서 왜 그런 현상이 생기는지 그 원리를 설명하고 그런 현상을 예방할 수 있는 방안을 제시하시오.
> ● ~ 문제점을 지적하고 합리적 대안을 제안해 보시오.
> ● ~ 주어진 관점을 검증할 수 있는 방법을 논하시오.
> ● ~ 주어진 문제점을 해결할 수 있는 실험을 설계해 보시오.

　⑦ 제시문의 관점에서 주장을 비판하시오.
　　: 어떤 주장의 타당성이나 가치 등을 평가한다.

3) 자연계 논술 글쓰기 유의사항

① 논제의 해결이 핵심이다. 출제자가 원하는 답을 써야 한다.
② 논제에 부합하는 글을 일관성 있게 써야한다.
③ 단순한 문제 풀이가 아니다. 한편의 글을 완성하여야 한다.
④ 단정적인 문장은 예외를 부정하거나 특정 사례만을 나타내어 피하여야 한다.
⑤ 확실한 답을 요하는 문제에서 추측성 표현은 피해야 한다. 자신감이 없으며 근거가 취약해질 수 있다
⑥ 제시문을 활용, 인용하는 것과 제시문을 그대로 옮기는 것은 다르다. 적절하게 제시문의 내용을 사용하여 논제를 해결하여야 한다는 것을 의미한다. 절대 제시문의 문장을 그대로 가져오는 것과 혼동하면 절대 안 된다. 금기사항이고 감점요인이다.
⑦ 부적절한 문장 즉, 비문을 만들지 말아야 한다. 주어와 서술어가 적절하게 있어 문장의 의미를 명확히 전달하여야 한다. 주어를 생략하거나 지시어를 과도하게 사용하면 문장의 의미가 모호해진다.
⑧ 문장은 짧고 간결하게 써야 한다. 자연계 글쓰기를 하다 보면 수식과 공식, 그래프 등으로 문장이 끊어지지 않고, 몇 줄을 한 문장으로 쓰는 경우가 많다. 자신의 의견을 명확히 간결하고 효과적으로 밝혀야 한다.

4) 자연계 논술 확인 사항

① 시간의 제한이 시험이다. 논술 시험은 자유롭게 글을 쓴다고 생각하고 주어진 시간을 체크하지 않는 경우가 정말 많다. 대학별로 요구하는 시간에 알맞게 답안을 구성해야 한다.
② 자연계라고 해서 문단의 구성, 맞춤법, 띄어쓰기 등을 무시하면 절대 안 된다. 글쓰기의 기본은 의미의 전달 과정임으로 효율적인 연습과 준비가 되어 있어야 한다.
③ 습관적으로 물어보는 의문문, 같이 할 것을 제안하는 청유형은 사용하지 않는 것이 좋다. 문법의 오류가 아니라 글의 격을 떨어뜨리고, 매우 단조롭고 어색할 수 있다.
④ 초창기 논술은 도입부인 서론을 자연계 논술에서도 사용하였다. 하지만 지금은 모든 대학이 논제 해결을 핵심으로 생각하므로 서론에 해당하는 도입과정은 과감히

생략하고 바로 논점으로 들어간다.

⑤ 한국어에는 수동태가 없다. 그러나 워낙 영어 번역하며 많이 사용하다 보니 논술 답안에도 자주 사용한다. 직설적인 표현이어야 한다. 수험생이 대학의 논술 답안지에 답안을 쓰는 것이다. 대학의 논술 답안지가 수험생으로부터 답안의 쓰임을 당하는 것은 아니다.

⑥ 자칫 착각을 해서 논술을 멋진 글쓰기라고 생각해 감상적이거나 비유적인 표현을 쓰는 경우가 있다. 오히려 이런 표현은 논제의 해결에 혼동을 준다. 또한 일상에서 사용하는 구어체 또한 사용하면 안 된다. 논술은 글쓰기에서 쓰는 딱딱한 문어체를 사용하는 것이 옳다.

⑦ 아무리 강조해도 글씨의 중요성은 지나치지 않을 것이다. 채점자들의 가장 큰 애로점 중 하나는 이해할 수 없는 학생들의 글씨라고 한다. 글씨체를 갑자기 바꿀 수 없지만, 타인이 알 수 있게 규칙적으로 줄을 맞춰 쓰고, 분량에 맞게 큰 글씨로, 급하게 글씨를 흘려 쓰지 말고 정자체로 답안을 작성하여야 한다.

3. 자연계 논술 실전

1) 각 대학별 논술 유의 사항을 파악하라!

거의 모든 대학에는 논술의 글자 수 제한이 자연계에서는 없다. 그래서 논술 문항 별 칸을 만들거나 밑줄 답안 형식을 취한다. 물론 아직도 줄을 제한을 두는 것과 같은 형태로 제한하는 학교도 있다. 논술 시험 시간은 각 대학별로 다양하다. 대학별로 준비해야 하는 중요한 이유이다. 답안을 작성하는 필기구도 다양하다. 연필(샤프펜)의 사용이 꾸준히 증가하지만, 검정색 볼펜이나 청색 볼펜으로 사용하는 학교도 많다. 주의할 것은 수정법이다. 수정은 학교에 따라 수정액, 수정테이프의 사용을 제한하기도 하고, 틀리면 두 줄을 긋고 수정해야 하는 곳도 있다. 그러므로 대학마다 특징을 파악하고, 미리 답안 작성 연습은 물론이고 작성할 때도 대학별로 금지하는 내용을 숙지하고 시험장에 가야 한다.

각 대학별 유의사항 사례
사례 1)
가. 답안은 한글로 작성하되, 글자수 제한은 없다.
나. 제목은 쓰지 말고 특별한 표시를 하지 말아야 한다.
다. 제시문 속의 문장을 그대로 쓰지 말아야 한다.
라. 반드시 본 대학교에서 지급한 필기구를 사용하여야 한다.
마. 수정할 부분이 있는 경우 수정도구를 사용하지 말고 원고지 교정법에 의하여 교정하여야 한다.
바. 본 대학교에서 지급한 필기구를 사용하지 않거나, 수정도구를 사용한 경우, 답안지에 특별한 표시를 한 경우, 또는 원고지의 일정분량 이상을 작성하지 않은 경우에는 감점 또는 0점 처리한다.
사례 2)

Ⅰ. 필요한 경우 한 개 또는 여러 개의 제시문을 선택하여 논의를 전개하고, 사용한 제시문은 꼭 참고문헌 형태로 표시하시오.

　　　예) …[제시문 1-4].

　　　예) …되며[제시문 2-4], …의 경우는 ~을 보여준다[제시문 2-1].

Ⅱ. [문제 1]부터 [문제 4]까지 문제 번호를 쓰고 순서대로 답하시오.

Ⅲ. 연필을 사용하지 말고, 흑색이나 청색 필기구를 사용하시오.

Ⅳ. 인적사항과 관련된 표현을 일절 쓰지 마시오.

Ⅴ. 문제당 배점은 동일함.

사례 3)

　◇ 각 문제의 답안은 배부된 OMR 답안지에 표시된 문제지 번호에 맞춰 작성하시오.

　◇ 각 문제마다 정해진 글자수(분량)는 띄어쓰기를 포함한 것이며, 정해진 분량에 미달하거나 초과하면 감점 요인이 됩니다.

　◇ 답안지의 수험번호는 반드시 컴퓨터용 수성 사인펜으로 표기하시오.

　◇ 답안은 검정색 필기구로 작성하시오. (연필 사용 가능)

　◇ 답안 수정시 원고지 교정법을 활용하시오. (수정 테이프 또는 연필지우개 사용 가능)

　◇ 답안 내용 및 답안지 여백에는 성명, 수험번호 등 개인 신상과 관련된 어떤 내용, 불필요한 기표하면 감점 처리됩니다.

사례 4)

◆ 답안 작성 시 유의사항 ◆

　□ 논술고사 시간은 90분이며, 답안의 자수 제한은 없습니다.

　□ 1번 문항의 답은 답안지 1면에 작성해야 하고, 2번 문항의 답은 답안지 2면에 작성해야 합니다. 1, 2번을 바꾸어 작성하는 경우 모두 '0점 처리'됩니다.

　□ 연습지는 별도로 제공하지 않습니다. 필요한 경우 문제지의 여백을 이용하시기 바랍니다.

　□ 답안은 검정색 또는 파란색 펜으로만 작성하며 연필, 샤프는 사용할 수 없습니다.

　□ 답안 수정은 수정할 부분에 두 줄로 긋거나 수정테이프(수정액은 사용 불가)를 사용해서 수정합니다.

　□ 답안지에는 답 이외에 아무 표시도 해서는 안 됩니다.

　□ 답안지 교체는 고사 시작 후 70분까지 가능하며, 그 이후는 교체가 불가합니다.

1) 제시문에 먼저 눈을 두지 말고 문제를 파악하라!!!

　대학별 고사인 논술의 어려운 점은 시간의 제한이 있는 글쓰기 시험이라는 것이다. 자유롭게 잘 쓸 수 있는 내용일지라도 시간의 제한이 있으면 얘기가 달라진다. 특히 지금과 같이 각 대학별로 다양하게 등장하는 시험에 익숙하지 않은 수험생에게는 더 큰 부담으로 작용을 한다.

　대학에서는 다양하게 제시문과 문제를 분포시킨다. 문제를 등장시키고 제시문이 등장하는 경우, 그림과 도표, 그래프 등과 같이 자료를 제시하고 제시문과 문제를 함께 등장시키는 경우, 제시문을 많이 등장시키고 마지막에 문제를 제시하는 경우 등... 이렇듯 다양한 문제에 시간의 적절한 활용은 대학별 고사의 실전에서는 당락을 결정하는 중요 요소이다.

 이러한 실전적 논술에서 핵심은 바로 목적성을 지닌 제시문의 읽기가 선행되어야 한다. 목적성 지닌 글 읽기의 핵심은 문제을 통해 논제를 구체적으로 파악하고 그 논제에 부합하는 제시문의 분석일 것이다.

---

 ① 문제를 먼저 확인하라!! - 제시문을 읽고 문제를 보면 다시 긴 제시문을 또 읽어 시간을 낭비한다.

 ② 세부 논제 확인하라!! - 한 문제라도 그 문제 속에서 다루는 논제는 여러 개가 될 수 있다. 그 내용을 파악하라.

 ③ 전제적 요건 파악하라!! - 각 문제의 전제적 요건 및 글로 표현된 부연설명 등이 중요한 키워드가 될 수 있다.

Ⅳ. 경희 대학교 기출
1. 2024학년도 경희대 수시 논술

※ 제시문을 읽고 다음 질문에 답하시오. [100점]

[가] 두 직선 $l : y = mx + n$, $l' : y = m'z + n'$에 대하여 l과 l'이 서로 수직이면 $mm' = -1$이다. 거꾸로 $mm' = -1$이면 l과 l'이 서로 수직이다.

[나] 첫째항이 $a(a \neq 0)$이고 공비가 r인 등비급수 $\sum_{n=1}^{\infty} ar^{r-1}$은 $|r| < 1$일 때, 수렴하고 그 합은 $\frac{a}{1-r}$이다.

[다] 서로 다른 n개에서 $r(0 < r \leq n)$개를 택하는 조합의 수는
$$_nC_r = \frac{_nP_r}{r!} = \frac{n!}{r!(n-r)!}$$

[라] 서로 다른 n개에서 r개를 택하는 중복조합의 수는
$$_nH_r = {}_{n+r-1}C_r$$

[마] 좌표공간의 두 점 $A(z_1, u_1, z_1)$, $B(z_2, y_2, z_2)$에 대하여 선분 AB를 $m : n$ $(m > 0, n > 0)$으로 내분하는 점 P의 좌표는
$$\left(\frac{mx_2 + nx_1}{m+n}, \frac{my_2 + ny_1}{m+n}, \frac{mz_2 + nz_1}{m+n} \right)$$

[바] 평면 β위의 도형의 넓이를 S, 이 도형의 평면 α위로의 정사영의 넓이를 S'이라고 할 때, 두 평면 α, β가 이루는 각의 크기를 $\theta(0° \leq \theta \leq 90°)$라고 하면
$$S' = S\cos\theta$$

[논제 Ⅰ] 좌표평면 위의 원점 $O(0, 0)$과 두 점 $P_1(8, 0)$, $Q_1(0, 4)$에 대하여 다음 물음에 답하시오.

(1) 선분 P_1Q_1의 수직이등분선이 쌍곡선 $x^2 - y^2 = b$와 접한다고 한다. 이때 b의 값을 구하고, 그 근거를 논술하시오. (12점)

(2) 두 점 P_1, Q_1에 대하여 직각삼각형 OP_1Q_1을 만든다. 선분 P_1Q_1의 수직이등분선이 x축, y축과 만나는 두 점을 각각 P_2, Q_2라 하고 직각삼각형 OP_2Q_2를 만든다. 선분 P_2Q_2의 수직이등분선이 x축, y축과 만나는 두 점을 각각 P_3, Q_3라 하고 직각삼각형 OP_3Q_3를 만든다. 선분 P_3Q_3의 수직이등분선이 x축, y축과 만나는 두 점을 각각 P_4, Q_4라 하고

직각삼각형 OP_4Q_4를 만든다. 이와 같은 과정을 계속하여 직각삼각형 OP_5Q_5, OP_6Q_6, OP_7Q_7, …을 만든다. 이때, 빗변의 중점이 제 1사분면에 있는 직각삼각형들의 넓이의 합을 A_1, 빗변의 중점이 제 2사분면에 있는 직각삼각형들의 넓이의 합을 A_2, 빗변의 중점이 제 3사분면에 있는 직각삼각형들의 넓이의 합을 A_3, 빗변의 중점이 제 4사분면에 있는 직각삼각형들의 넓이의 합을 A_4라 하자. 다음 명제의 참, 거짓을 판별하고, 그 근거를 논술하시오. (18점)

> 명제 : A_1은 $A_2 + A_3 + A_4$보다 크다.

[논제 Ⅱ] 동전 한 개를 반복하여 19번 던졌을 때, 앞면이 16번, 뒷면이 3번 나왔다고 한다. 다음 물음에 답하시오.

(1) 뒷면이 연속해서 나오지 않는 경우의 수를 구하고, 그 근거를 논술하시오. (12점)

(2) 앞면은 항상 두 번 이상 연속해서 나오고 뒷면은 연속해서 나오지 않는 경우의 수를 구하고, 그 근거를 논술하시오. (21점)

[논제 Ⅲ] 구 $x^2 + y^2 + (z-1)^2 = 1$ 위에 두 점 A$(0, 0, 2)$, P(a, a, b)가 있다. xy평면 위의 점 Q에 대하여 점 P가 선분 AQ를 $1:4$로 내분할 때, 다음 물음에 답하시오. (단, a, b는 양수이다.)

(1) 점 P와 점 Q의 좌표를 구하고, 그 근거를 논술하시오. (10점)

(2) 점 A와 점 P가 아닌 구 위의 점 R에 대하여 삼각형 ARQ의 xy평면 위로의 정사영을 F라 하고 삼각형 ARQ와 xy평면이 이루는 각의 크기를 θ라 하자. F의 넓이가 최대가 될 때, 삼각형 ARQ의 세 변의 길이와 $\cos\theta$의 값을 구하고, 그 근거를 논술하시오. (27점)

2. 2024학년도 경희대 모의 논술

※ 제시문 [가] ~ [사]를 읽고 다음 질문에 답하시오.

[가] 사건 A가 일어났을 때의 사건 B의 조건부확률은
$$P(B|A) = \frac{P(A \cap B)}{P(A)} \quad (\text{단, } P(A) > 0)$$

[나] 이산확률변수 X의 기댓값(평균)은
$$E(X) = x_1 p_1 + x_2 p_2 + x_3 p_3 + \cdots + x_n p_n$$

[다] 부정적분
$F'(x) = f(x)$일 때,
$$\int f(x)dx = F(x) + C \, (\text{단, } C\text{는 적분 상수})$$

[라] 부분적분법
두 함수 $f(x)$, $g(x)$가 미분가능할 때
$$\int f(x)g'(x)dx = f(x)g(x) - \int f'(x)g(x)dx$$

[마] 함수의 증가와 감소의 판정
함수 $f(x)$가 어떤 구간에서 미분가능하고, 이 구간의 모든 x에 대하여
① $f'(x) > 0$이면 $f(x)$는 이 구간에서 증가한다.
② $f'(x) < 0$이면 $f(x)$는 이 구간에서 감소한다.

[바] 두 초점 F$(c, 0)$, F$'(-c, 0)$으로부터의 거리의 차가 $2a(c > a > 0)$인 쌍곡선의 방정식은
$$\frac{x^2}{a^2} - \frac{y^2}{b^2} = 1 (\text{단, } b^2 = c^2 - a^2)$$

[사] 미분가능한 함수 $g(t)$에 대하여 $x = g(t)$로 놓으면
$$\int f(x)dx = \int f(g(t))g'(t)dt$$

[논제 I] [배점 30점]

상자 안에 총 60개의 공이 들어있다. 그 중 $n(1 \leq n < 60)$개의 공은 흰색이고 나머지는 공은 모두 검은색이다. 경희는 상자 안에 있는 공을 하나 임의로 꺼내어 색을 확인하고 다시 상자에 공을 집어넣는 것을 3번 반복한다. 경희는 흰색 공을 꺼낼 때마다 100원을 얻고, 검은색 공을 꺼낼 때마다 100원을 잃는다. 경희는 공을 꺼내기 전에 300원을 가지고 있다고 한다.

(1) 3번째 공을 꺼내고 난 후, 경희가 400원을 가지고 있을 사건을 A, 1번째 공을 꺼내고 난 후, 경희가 400원을 가지고 있을 사건을 B라고 하자. 조건부 확률 $\mathrm{P}(B|A)$를 구하고, 그 근거를 논술하시오. (10점)

(2) 3번째 공을 꺼내고 난 후 경희가 가지고 있는 금액을 X라고 하자. X의 기댓값이 200원일 때, n의 값을 구하고, 그 근거를 논술하시오. (20점)

[논제 Ⅱ] [배점 33점]

(1) 다음 부정적분 $\int x\sin x dx$과 $\int x\cos x dx$를 구하시오. (8점)

(2) 위의 결과를 이용하여, $\int x^2 \sin x dx$의 부정적분을 구하고, 이 부정적분 중 닫힌구간 $[0,\ 2\pi]$에서 x축과 만나지 않는 함수들을 증가와 감소의 표를 이용하여 모두 구하시오. (25점)

[논제 Ⅲ] [배점 37점]

쌍곡선 $\dfrac{x^2}{a^2}-\dfrac{y^2}{b^2}=1$위에 한 점 P($p,\ q$)와 두 초점 F=($c,\ 0$), F'=($-c,\ 0$)이 있다. (단, $p,\ q>0$이고 $a>b>0$이다)

① 삼각형 PFF'의 외접원의 중심을 A($k,\ l$)라고 할 때, A의 y좌표 l이 양수인 q의 범위를 구하시오. (7점)

② $\angle \mathrm{PF'F}=\alpha$, $\angle \mathrm{F'PF}=\beta$라 할 때, 극한값 $\displaystyle\lim_{q\to\infty}\cos(2\alpha+\beta)$를 $t=\dfrac{a}{b}$에 대한 함수 $f(t)$로 나타내고, 부정적분 $\int tf(t)dt$을 구하시오. (30점)

3. 2023학년도 경희대 수시 논술 (토요일)

※ 제시문을 읽고 다음 질문에 답하시오. [100점]

[가]

타원 $\dfrac{x^2}{a^2}+\dfrac{y^2}{b^2}=1$위의 점 (x_1, y_1)에서의 접선의 방정식은

$$\frac{x_1 x}{a^2}+\frac{y_1 y}{b^2}=1$$

[나]

함수 $f(x)$가 어떤 열린구간에서 미분가능하고, 이 구간에 속하는 모든 x에서

　① $f'(x)>0$이면 $f(x)$는 그 구간에서 증가한다.
　② $f'(x)<0$이면 $f(x)$는 그 구간에서 감소한다.

[다]

$a>b$일 때, 정적분 $\displaystyle\int_a^b f(x)dx$는 다음과 같이 정의한다.

$$\int_a^b f(x)dx=-\int_b^a f(x)dx$$

[라]

함수 $f(x)$가 임의의 세 실수 $a,\ b,\ c$를 포함하는 닫힌구간 $[a,\ b]$에서 연속일 때,
$$\int_a^b f(x)dx=\int_a^c f(x)dx+\int_c^b f(x)dx$$

[마]

함수 $f(t)$가 실수 a를 포함하는 구간에서 연속이면 이 구간에 속하는 임의의 x에 대하여

$$\frac{d}{dx}\int_a^x f(t)dt=f(x)$$

[바]

사건 A가 일어났을 때의 사건 B의 조건부확률은
$$\mathrm{P}(B|A)=\frac{\mathrm{P}(A\cap B)}{\mathrm{P}(A)}(단,\ \mathrm{P}(A)>0)$$

[사]

어떤 시행에서 사건 A가 일어날 확률이 $p(0<p<1)$일 때, 이 치행을 n회 반복하는 독립시행에서 사건 A가 r회 일어날 확률은
$$_n\mathrm{C}_r\, p^r (1-p)^{n-r} \quad (단, r=0, 1, 2, \cdots, n)$$

[논제 I] $a>b>0$인 두 상수 $a,\ b$에 대하여 타원 $\dfrac{x^2}{a^2}+\dfrac{y^2}{b^2}=1$의 두 초점을 F, F′이라 하자.

(1) $k > a$인 상수 k에 대하여 점 A$(k, 0)$에서 타원에 그은 접선 중 접점의 y좌표가 양수인 접선을 l이라 할 때, 그 접점을 P라고 하자. 이때 P의 좌표를 a, b, k를 이용하여 나타내고, 그 근거를 논술하시오. (15점)

(2) (1)에서 $a=5$, $b=4$, $k=13$이라고 하자. 접점 P를 지나고 접선 l에 수직인 직선 l'이 x축과 만나는 점을 Q라고 하자. 이때 $\dfrac{\overline{\mathrm{PF}}}{\overline{\mathrm{QF}}} + \dfrac{\overline{\mathrm{PF'}}}{\overline{\mathrm{QF'}}}$의 값을 구하여 기약분수로 나타내고, 그 근거를 논술하시오. (15점)

[논제 II] 네 점 A$(1, 1)$, B$(3, 1)$, C$(3, 3)$, D$(1, 3)$을 꼭짓점으로 하는 정사각형 ABCD가 있다. 한 변의 길이가 2이고, 모든 변이 x축 또는 y축과 평행한 정사각형 PQRS의 두 대각선의 교점 M(x, y)의 위치는 $x=t$, $y=-t^2+3t$이다.

이때 $0 < t < 3$에서 두 정사각형이 겹치는 부분의 넓이를 $f(t)$라고 하자. (단, $f(0)=f(3)=0$)

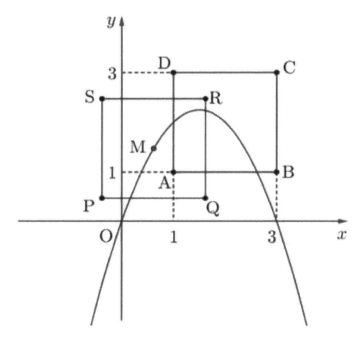

(1) 함수 $f(t)$를 구하고, 함수 $g(t) = \begin{cases} 2t & (t < 2) \\ 12 - 4t & (t \geq 2) \end{cases}$에 대하여 $\displaystyle\int_0^3 |f(t) - g(t)| dt$의 값을 구하고, 그 근거를 논술하시오. (18점)

(2) 상수 a에 대하여 곡선 $y = f(t)(1 \leq t \leq 2)$, 직선 $y = f(a)$및 두 직선 $t = 1$, $t = 2$로 둘러싸인 부분의 넓이를 $S(a)$라고 하자. $1 < a < 2$일 때 $S(a)$가 최소가 되는 a의 값을 구하고, 그 근거를 논술하시오. (15점)

[논제 III] 어느 불꽃놀이에서 불꽃을 쏘아 올리면 불꽃이 지면에서 출발한다. 이 불꽃은 지면에서 수직 방향으로 20 m를 이동한 후 네 갈래 또는 여섯 갈래로 갈라지면서 이동한다. 이 갈라지는 지점을 '첫 번째 분기점'이라고 한다. 첫 번째 분기점에서 갈라진 불꽃들은 각각 10 m씩 이동하여 다시 네 갈래 또는 여섯 갈래로 갈라지면서 이동한다. 두 번째 갈라지는 지점을 '두 번째 분기점'이라고 한다. 두 번째 분기점들에서 갈라진 불꽃들은 각각 $2t$ m씩 이동한 후 사라진다. (단, $0 < t < \frac{5}{2}$)

<그림 1>은 첫 번째 분기점에서 네 갈래로 갈라지고 두 번째 분기점에서 각각 4, 6, 4, 6갈래로 갈라진 경우의 예시이다.

<그림 2>는 점선을 따라 이동한 불꽃이 분기점에서 네 갈래 또는 여섯 갈래로 갈라지는 모양을 나타낸 것이다. 점선의 화살표 방향을 따라 이동한 불꽃은 <그림 2>와 같은 각도로만 갈라진다.

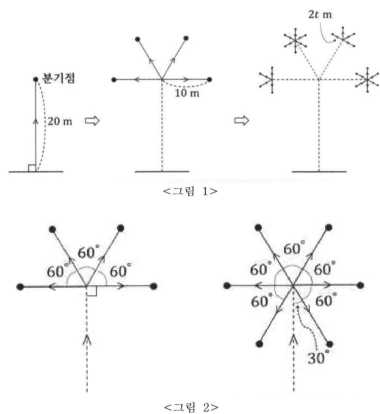

<그림 1>

<그림 2>

다음 조건을 만족할 때 아래 물음에 답하시오.

> (가) 각 분기점에서 불꽃이 갈라지는 시행은 독립시행이다.
>
> (나) 각 분기점에서 불꽃이 네 갈래로 갈라질 확률은 $\frac{1}{2}$이다.
>
> (다) 불꽃은 한 평면 위에서 움직인다.
>
> (라) 불꽃은 동일한 속력으로 움직이고, 직선으로 이동한다. (단, 분기점은 제외한다.)

(1) 두 번째 분기점에서 생기는 불꽃의 개수를 확률변수 X라고 하자. $22 \le X \le 26$인 사건 A가 일어났을 때, 첫 번째 분기점에서 불꽃이 여섯 갈래로 갈라진 사건 B의 조건부 확률 $\mathrm{P}(B|A)$를 구하고, 그 근거를 논술하시오. (18점)

(2) <그림 3>과 같이 모든 분기점에서 불꽃이 여섯 갈래로 갈라진 경우를 생각하자. 36개로 갈라진 불꽃의 마지막 위치를 점으로 나타낼 때, 이 점들 사이의 거리의 최솟값을 $f(t)$라고 하자. $0 < t < \dfrac{5}{2}$일 때, 함수 $y = f(t)$가 미분가능하지 않은 t의 값을 구하고, 그 근거를 논술하시오. (19점)

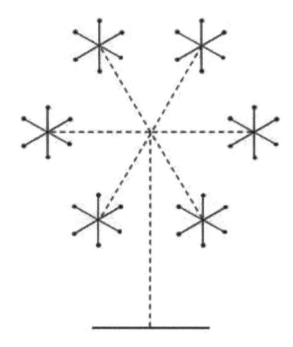

4. 2023학년도 경희대 수시 논술 (일요일)

※ 제시문을 읽고 다음 질문에 답하시오.　　　　　　　　　　　　　　　　　[100점]

[가]

곡선 $y = f(x)$ 위의 점 $(a, f(a))$에서 접하는 접선의 방정식은
$$y - f(a) = f'(a)(x - a)$$

[나]

좌표평면 위를 움직이는 점 P의 시각 t에서의 위치가 $x = f(t)$, $y = g(t)$일 때, 시각 $t = a$에서 $t = b$까지 점 P가 움직인 거리 s는
$$s = \int_a^b \sqrt{\left(\frac{dx}{dt}\right)^2 + \left(\frac{dy}{dt}\right)^2}\, dt = \int_a^b \sqrt{\{f'(t)\}^2 + \{g'(t)\}^2}\, dt$$

[다]

함수 $f(x)$가 어떤 열린구간에서 미분가능하고, 이 구간에 속하는 모든 x에 대하여

　① $f'(x) > 0$이면 $f(x)$는 이 구간에서 증가한다.
　② $f'(x) < 0$이면 $f(x)$는 이 구간에서 감소한다.

[라]

방정식 $f(x) = g(x)$의 실근은 두 함수 $y = f(x)$, $y = g(x)$의 그래프가 만나는 점의 x좌표와 같다.

[마]

닫힌구간 $[a, b]$의 임의의 점 x에서 x축에 수직인 평면으로 자른 단면의 넓이가 $S(x)$인 입체도형의 부피 V는

$$V = \int_a^b S(x)dx \quad (\text{단, } S(x)는 닫힌구간 [a, b]에서 연속)$$

[바]

어떤 시행에서 사건 A가 일어날 확률이 $p(0 < p < 1)$일 때, 이 시행을 n회 반복하는 독립시행에서 사건 A가 r회 일어날 확률은
$$_n\mathrm{C}_r\, p^r (1-p)^{n-r} \quad (\text{단}, r = 0, 1, 2, \cdots, n)$$

[사]

사건 A가 일어났을 때의 사건 B의 조건부확률은
$$\mathrm{P}(B|A) = \frac{\mathrm{P}(A \cap B)}{\mathrm{P}(A)} (\text{단}, \mathrm{P}(A) > 0)$$

[논제 I] 곡선 $y = x^2$ 위를 움직이는 점 $\mathrm{A}(x, y)$의 시각 t에서의 위치가 $x = t$, $y = t^2$이다. 이 점 A에서 곡선 $y = x^2$에 접하는 접선을 l_1이라 하고, 직선 l_1과 수직이고 곡선 $y = x^2$에 접하는 접선을 l_2라고 하자. 접선 l_2와 곡선 $y = x^2$이 만나는 점을 B라 하고, 원점을 O라고 하자. 다음 물음에 답하시오. (단, $t > 0$)

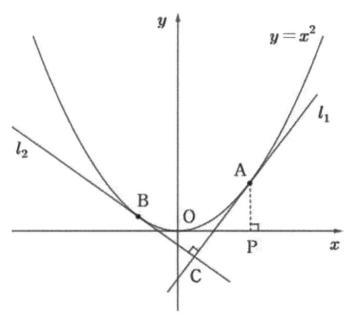

① 두 접선 l_1과 l_2의 교점을 C라고 하자. 시각 $t=1$에서 $t=2$까지 점 C가 움직인 거리 s를 구하고, 그 근거를 논술하시오. (15점)

② 점 A에서 x축에 내린 수선의 발을 P라고 하자. 시각 t에서 두 삼각형 AOP와 ABC의 넓이의 비를 $S(t) = \dfrac{\triangle\,\mathrm{ABC}}{\triangle\,\mathrm{AOP}}$ 라고 할 때, $\lim\limits_{t \to \infty} S(t)$를 구하고, 그 근거를 논술하시오. (15점)

[논제 Ⅱ] 함수 $f(x) = -x + \dfrac{1}{x^2}$, $g(x) = -x^2 + k + \dfrac{1}{x}$ 에 대하여 다음 물음에 답하시오. (단, $x > 0$, k는 상수이다.)

(1) 구간 $(0, \infty)$에서 함수 $y = x + \dfrac{1}{x}$의 증가와 감소를 표로 나타내시오. 이 결과를 이용하여 상수 k가 양수일 때 두 함수 $y = f(x)$와 $y = g(x)$의 그래프가 서로 다른 두 점에서 만남을 보이고, 그 근거를 논술하시오. (단, $\lim\limits_{x \to 0^+}\left(x + \dfrac{1}{x}\right) = \infty$, $\lim\limits_{x \to \infty}\left(x + \dfrac{1}{x}\right) = \infty$) (18점)

(2) (1)에서 두 교점의 x좌표를 각각 α와 β라 할 때, $(\alpha - \beta)^2$을 k에 대한 식으로 나타내고, 그 식을 $S(k)$라 하자. 닫힌구간 $[4, 10]$의 임의의 점 x에서 x축에 수직인 평면으로 자른 단면의 넓이가 $6S(x)$인 입체도형의 부피를 구하고, 그 근거를 논술하시오. (15점)

[논제 Ⅲ] 아래 그림과 같이 운동장 안에 $(n+1)$개의 연결된 방이 있다. 모든 $i = 1, 2, \cdots, n$에 대하여 방 i에는 두 개의 출구가 있어서, 그 중 하나만 방 $(i+1)$과 연결되어 있고 다른 하나는 운동장으로 나오는 출구이다. 방 $(n+1)$에는 운동장으로 나오는 출구만 있다.

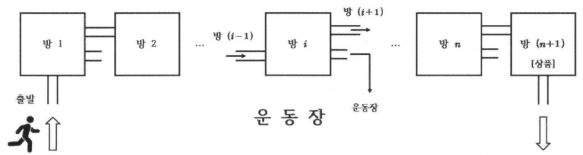

각각 1, 2, $\cdots$, n번 조끼를 입은 학생들이 운동장에 모여 있고 아래와 같은 규칙으로 방을 통과하는 게임에 참여한다.

(가) 1번 조끼를 입은 학생부터 조끼 번호의 오름차순으로 한 명씩 방 1로 들어간다.

(나) 모든 $i = 1, 2, \cdots, n$에 대하여 방 i에 처음으로 도착한 학생은 두 개의 출구 중 하나를 선택한다. 이때 다음 방으로 연결된 출구를 선택하면 이 학생은 다음 방으로 가고, 그렇지 않으면 운동장으로 나온다. 방 $(n+1)$에 도착한 모든 학생은 상품을 받고 출구를 통해 운동장으로 나온다. (단, 지나온 길을 되돌아가지는 않는다.)

(다) 먼저 출발한 학생이 운동장으로 나오면, 그 다음 학생은 방 1로 들어간다. 먼저 출발한 학생이 방 i의 출구 ($i = 1, 2, \cdots, n$)에서 운동장으로 나오면, 그 다음에 출발하는 학생은 방 1부터 연결된 출구들을 통해 방 $(i+1)$로 간다. 먼저 출발한 학생이 방 $(n+1)$에서 나오면, 그 다음 학생은 항상 방 $(n+1)$까지 간다.

(라) n번 조끼를 입은 학생이 방 1로 들어가서, 운동장으로 다시 나오면 게임은 끝난다.

모든 $i = 1, 2, \cdots, n$에 대하여 방 i의 두 개의 출구 중에서 운동장으로 나오는 출구를 선택할 확률은 $\dfrac{1}{2}$이며, 각각의 선택은 독립이라고 할 때, 다음 물음에 답하시오.

(1) $n = 7$이라고 하자. 6번 조끼를 입은 학생이 상품을 받을 때, 3번 조끼를 입은 학생이 상품을 받지 못하였을 확률을 구하고, 그 근거를 논술하시오. (17점)

(2) $n = 400$일 때 상품을 받은 학생이 190명 이상일 사건을 A라 하고, $n = 72$일 때 상품을 받은 학생이 k명 이상일 사건을 B라고 하자. 이때, $P(A) \le P(B)$를 만족하는 자연수 k의 최댓값을 구하고, 그 근거를 논술하시오. (20점)

5. 2023학년도 경희대 모의 논술

※ 제시문 [가] [라]를 읽고 다음 질문에 답하시오.

[가]

함수 $f(x)$가 닫힌구간 $[a, b]$에서 연속일 때, 곡선 $y = f(x)$와 x축 및 두 직선 $x = a$, $x = b$로 둘러싸인 도형의 넓이 S는

$$S = \int_a^b |f(x)| dx$$

이다.

[나]

함수 $f(x)$가 닫힌구간 $[a, b]$에서 연속이고 $f(a) \neq f(b)$이면, $f(a)$와 $f(b)$사이의 임의의 값 k에 대하여

$$f(c) = k$$

인 c가 열린구간 (a, b)에 적어도 하나 존재한다.

[다]

두 초점 $F(c, 0)$, $F'(-c, 0)$에서의 거리의 합이 $2a$인 타원의 방정식은

$$\frac{x^2}{a^2} + \frac{y^2}{b^2} = 1 (단,\ a > c > 0,\ b^2 = a^2 - c^2)$$

두 초점 $F(0, c)$, $F'(0, -c)$에서의 거리의 합이 $2b$인 타원의 방정식은

$$\frac{x^2}{a^2} + \frac{y^2}{b^2} = 1 \ (단,\ b > c > 0,\ a^2 = b^2 - c^2)$$

[라]

이산확률변수 X의 확률질량함수가 $P(X = x_i) = p_i (i = 1, 2, \cdots, n)$일 때, X의 기댓값 (평균) $E(X)$는

$$E(X) = x_1 p_1 + x_2 p_2 + \cdots + x_n p_n$$

[논제 I] 양의 실수 a와 b에 대하여 함수 $f(x) = x(x + a)(x - b)$를 생각하자. 이때 곡선 $y = f(x)(-a \leq x \leq 0)$과 x축으로 둘러싸인 도형의 넓이를 A, 곡선 $y = f(x)(0 \leq x \leq b)$와 x축으로 둘러싸인 도형의 넓이를 B라 하자.

(1) 넓이 A와 B를 a와 b에 대한 식으로 표현하고, 그 근거를 논술하시오. (10점)

(2) 넓이 A와 B가 $B = 2A$를 만족한다고 하자. 이때 $a < b < 2a$임을 설명하고, 그 근거를 논술하시오. (20점)

[논제 II] 그림과 같이 직사각형 ABCD는 점 A와 C가 x축 위에 있고, 두 대각선의 교점이 원점에 있다. $\overline{AB} = 2$, $\overline{BC} = 2p$이고 $0 < p < 1$이다. 변 AB, CD와 y축의 교점을 각

각 E, F라 하고, 변 AB, CD의 중점을 각각 M, N이라 하자. 다음 물음에 답하시오.

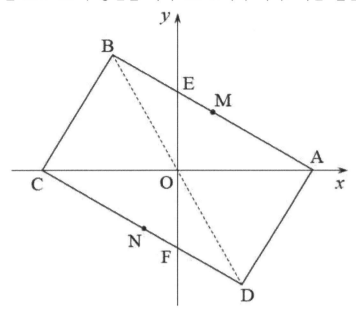

(1) 타원 $\dfrac{x^2}{a^2}+\dfrac{y^2}{b^2}=1(a>0,\ b>0)$이 점 A, E, C, F를 지날 때, 이 타원의 두 초점의 좌표를 p의 식으로 나타내고, 그 과정을 논술하시오. (15점)

(2) 타원 $\dfrac{x^2}{m^2}+\dfrac{y^2}{n^2}=1(m>0,\ n>0)$이 점 A, M, C, N을 지날 때, (1)의 b에 대하여 $n<b$임을 보이고, 그 근거를 논술하시오. (20점)

[논제 Ⅲ] 경희 금은방에서 현재 금 한 돈을 A_0만원의 가격에 판매하고 있다. 금 한 돈의 가격이 1년마다 변한다고 할 때, n년 후의 금 한 돈의 가격을 A_n만원이라 하자. A_n은 p의 확률로 uA_{n-1}이 되고 $q=1-p$의 확률로 dA_{n-1}이 된다고 하자. (단, n은 자연수, $0<d<1<u$). 다음 물음에 답하시오.

(1) $p=\dfrac{1}{3}$, $u=2$, $d=\dfrac{1}{2}$, $A_0=20$이라 하자. 민국은 3년 후에 금 한 돈을 3년 동안 변한 금 한 돈의 가격 중에 가장 싼 값으로 구입하기로 경희 금은방과 약속하였다. 민국이 3년 후에 이 금 한 돈 거래를 통해 얻는 이익의 기댓값을 구하고, 그 근거를 논술하시오. (예를 들어, 금 한 돈의 가격이 3년 동안 $A_1=10$, $A_2=20$, $A_3=40$으로 변했다면 민국은 3년 후 40만원인 금 한 돈의 가격을 10만원으로 구입하여 30만원의 이익을 남긴다.) (15점)

(2) 민국은 1년 후에 금 한 돈의 가격 A_1만원이 A_0만원보다 비싼 경우에는 A_0만원의 가격으로 금 한 돈을 구입하고, A_0만원보다 싼 경우에는 금 한 돈을 구입하지 않기로 경희 금은방과 약속하였다. 민국이가 1년 후에 얻는 이익을 V_1이라고 하자. V_0을 V_1의 기댓값이라고 할 때, 상수 β가 A_1의 가격에 상관없이 $V_0 + \beta A_0 = V_1 + \beta A_1$을 만족한다. p와 β을 u와 d을 이용하여 나타내고, 그 근거를 논술하시오. (20점)

6. 2022학년도 경희대 수시 논술 (토요일)

※ 제시문을 읽고 다음 질문에 답하시오.

[가]

닫힌구간 $[a, b]$에서 x좌표가 x인 점을 지나고 x축에 수직인 평면으로 자른 단면의 넓이가 $S(x)$인 입체도형의 부피 V는

$$V = \int_a^b S(x)dx$$

[나]

$\lim_{n \to \infty} a_n = L$, $\lim_{n \to \infty} b_n = M(L, M$은 실수$)$일 때, 모든 자연수 n에 대하여

① $a_n \leq b_n$이면 $L \leq M$

② $a_n \leq c_n \leq b_n$이고 $L = M$이면 $\lim_{n \to \infty} c_n = L$

[다]

확률의 곱셈정리

두 사건 A, B가 동시에 일어날 확률은

$$P(A \cap B) = P(A)P(B|A) = P(B)P(A|B) \quad (단, P(A) > 0, P(B) > 0)$$

[라]

좌표평면의 원점 O와 점 $P(x, y)$에 대하여, 동경 OP가 나타내는 각의 크기를 θ, $\overline{OP}$를 r이라 하면

$$\sin\theta = \frac{y}{r}, \quad \cos\theta = \frac{x}{r}, \quad \tan\theta = \frac{y}{x}(x \neq 0)$$

$$\csc\theta = \frac{r}{y}(y \neq 0), \quad \sec\theta = \frac{r}{x}(x \neq 0), \quad \cot\theta = \frac{x}{y}(y \neq 0)$$

[마]

삼각함수의 덧셈정리

$$\sin(\alpha + \beta) = \sin\alpha\cos\beta + \cos\alpha\sin\beta, \quad \sin(\alpha - \beta) = \sin\alpha\cos\beta - \cos\alpha\sin\beta$$

$$\cos(\alpha + \beta) = \cos\alpha\cos\beta - \sin\alpha\sin\beta, \quad \cos(\alpha - \beta) = \cos\alpha\cos\beta + \sin\alpha\sin\beta$$

[바]

매개변수 t로 나타낸 함수 $x = f(t)$, $y = g(t)$가 t에 대하여 미분가능하고 $f'(t) \neq 0$이

면 $\dfrac{dy}{dx} = \dfrac{\dfrac{dy}{dt}}{\dfrac{dx}{dt}} = \dfrac{g'(t)}{f'(t)}$ 이다.

[사]

좌표평면 위를 움직이는 점 $P(x, y)$의 위치를 매개변수 t에 관한 함수 $x = f(t)$, $y = g(t)$로 나타내면, $t = a$에서 $t = b$까지 점 P가 움직인 거리는 $\displaystyle\int_a^b \sqrt{\{f'(t)\}^2 + \{g'(t)\}^2}\, dt$이다.

[논제 I]

(1) 자연수 n에 대하여 점 $P_n(0, -n)$에서 곡선 $y = \ln x$에 그은 접선의 x절편을 b_n이라 할 때, $\displaystyle\lim_{n \to \infty} \dfrac{b_{n+1}}{b_n}$의 값을 구하고, 그 근거를 논술하시오.

(2) 좌표평면의 곡선 $y = \ln x$와 원점에서 이 곡선에 그은 접선 및 x축으로 둘러싸인 도형을 밑면으로 하는 입체도형이 있다. 이 입체도형을 x축에 수직인 평면으로 자른 단면이 모두 정삼각형일 때, 이 입체도형의 부피를 구하고, 그 근거를 논술하시오.

[논제 II]

체육 대회에서 예선을 통하여 상위 4개의 팀이 선발되었고, 이 중에서 우승팀을 결정하려고 한다. 우승팀을 결정하는 대진표는 아래와 같이 A, B, C세 경기를 치르는 <대진표 1>과 X, Y, Z세 경기를 치르는 <대진표 2>가 있다. 각 경기에서 한 팀이 다른 팀을 이길 확률은 예선 순위의 차이로 결정된다. 예선 상위 팀이 하위 팀을 이길 확률은 순위 차이가 1일 때 p, 순위 차이가 2일 때 q, 순위 차이가 3일 때 r이다. 예를 들어, 예선 1위 팀과 2위 팀이 경기를 할 때 1위가 이길 확률이 p, 2위와 4위가 경기를 할 때 2위가 이길 확률이 q, 1위와 4위가 경기를 할 때 1위가 이길 확률이 r이다. 단, 비기는 경우는 없으며, $0.5 \leq p < q < T \leq 1$이다. <대진표 1>로 대회를 진행할 때 예선 1위 팀이 우승할 확률을 P_1, <대진표 2>로 대회를 진행할 때 예선 1위 팀이 우승할 확률을 P_2라 하자.

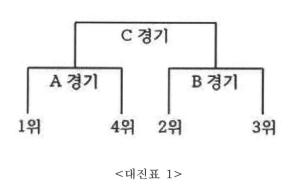

<대진표 1>

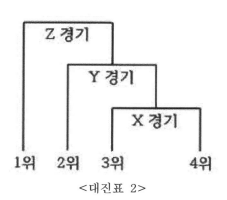

<대진표 2>

① $p = 0.6$, $q = 0.7$, $r = 0.8$일 때, P_1과 P_2를 구하고, 그 근거를 논술하시오.

② $q = \dfrac{5}{6}$, $r = 1$일 때, P_1과 P_2를 각각 p의 식으로 나타내고, $P_1 = P_2$가 되는 p를 구하시오. 그리고 그 근거를 논술하시오.

[논제 III]

점 $\mathrm{A}\left(a, \dfrac{1}{a}\right)(a > 0)$을 지나고 기울기가 음수인 직선이 곡선 $y = \dfrac{1}{x}$과 접하지 않는다. 이 직선이 y축과 만나는 점을 P, x축과 만나는 점을 Q, 곡선 $y = \dfrac{1}{x}$과 만나는 점 중 A가 아닌 점을 B라 하고, 원점을 O라 하자.

① $\overline{\mathrm{AB}} = \dfrac{1}{2}\overline{\mathrm{PQ}}$일 때, 삼각형 OPQ의 넓이 $S(a)$를 구하고, 그 근거를 논술하시오.

② $\overline{\mathrm{AB}} = 1$일 때, 삼각형 OPQ의 넓이 $S(a)$에 대하여 $\displaystyle\lim_{a \to \infty} S(a)$와 $\displaystyle\lim_{a \to 0} S(a)$의 값을 구하고, 그 근거를 논술하시오.

[논제 IV]

<그림 1>과 같이 중심이 원점 0이고 반지름이 1인 원 위에 같은 간격으로 놓여 있는 세 개 이상의 점 P_1, $\cdots$, P_n이 있다. 매순간 점 $\mathrm{P}_k(k < n)$는 점 P_{k+1}을 향하여 움직이고, 점 P_n은 점 P_1을 향하여 움직인다. 점 P_1은 점 $(1, 0)$에서 출발하고, $\overline{\mathrm{OP}_1} = \overline{\mathrm{OP}_2} = \cdots = \overline{\mathrm{OP}_n} > 0$와 $\angle \mathrm{P}_1\mathrm{OP}_2 = \cdots = \angle \mathrm{P}_{n-1}\mathrm{OP}_n = \angle \mathrm{P}_n\mathrm{OP}_1$는 항상 성립한다.

$a = \dfrac{1 - \cos\dfrac{2\pi}{n}}{\sin\dfrac{2\pi}{n}}$라고 할 때, 다음 물음에 답하시오.

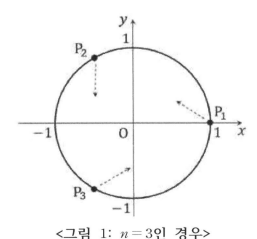

<그림 1: $n = 3$인 경우>

(1) 매개변수 t가 동경 $\mathrm{OP_1}$이 나타내는 각의 크기일 때, 점 $\mathrm{P_1}$의 좌표 (x_1, y_1)을 나타내는 함수 $x_1 = f_1(t)$, $y_1 = g_1(t)$를 a를 이용하여 나타내고, 그 근거를 논술하시오.

(2) 점 $\mathrm{P_1}$이 $t = 0$에서 $t = u$까지 움직인 거리 $s(u)$의 극한값 $\lim\limits_{u \to \infty} s(u)$를 a를 이용하여 나타내고, 그 근거를 논술하시오.

7. 2022학년도 경희대 수시 논술 (일요일)

※ 제시문을 읽고 다음 질문에 답하시오.

[가]

좌표평면의 원점 O와 점 P(x, y)에 대하여. 동경 OP가 나타내는 각의 크기를 θ, $\overline{\mathrm{OP}}$를 r이라 하면

$$\sin\theta = \frac{y}{r}, \ \cos\theta = \frac{x}{r}, \ \tan\theta = \frac{y}{x}(x \neq 0)$$

$$\csc\theta = \frac{r}{y}(y \neq 0), \ \sec\theta = \frac{r}{x}(x \neq 0), \ \cot\theta = \frac{x}{y}(y \neq 0)$$

[나]

수직선 위를 움직이는 점 P의 시각 t에서의 위치 x가 $x = f(t)$일 때, 시각 t에서의 점 P의 속도 v는 다음과 같다.

$$v = \frac{dx}{dt} = f'(t)$$

[다]

미분가능한 함수 $f(x)$에 대하여 $f'(a) = 0$이고 $x = a$의 좌우에서
① $f'(x)$의 부호가 양에서 음으로 바뀌면 $f(x)$는 $x = a$에서 극대이다.
② $f'(x)$의 부호가 음에서 양으로 바뀌면 $f(x)$는 $x = a$에서 극소이다.

[라]

두 함수 $f(x)$, $g(x)$가 미분가능하고, $f'(x)$와 $g'(x)$가 닫힌구간 $[a, b]$에서 연속일 때,

$$\int_a^b f(x)g'(x)dx = [f(x)g(x)]_a^b - \int_a^b f'(x)g(x)dx$$

[마]

표본공간 S의 두 사건 A, B에 대하여

① 사건 A또는 B가 일어날 확률 $\mathrm{P}(A \cup B)$는 $\mathrm{P}(A \cup B) = \mathrm{P}(A) + \mathrm{P}(B) - \mathrm{P}(A \cap B)$
② 두 사건 A, B가 서로 배반사건이면 $\mathrm{P}(A \cup B) = \mathrm{P}(A) + \mathrm{P}(B)$

[바]

n개 중에서 서로 같은 것이 각각 p개, q개, $\cdots$, r개 있을 때, n개를 일렬로 나열하는 순열의 수는

$$\frac{n!}{p! \times q! \times \cdots \times r!} (\text{단}, \ p + q + \cdots + r = n)$$

[사] 타원 $\dfrac{x^2}{a^2}+\dfrac{y^2}{b^2}=1$위의 점 $(x_1,\ y_1)$에서의 접선의 방정식은

$$\dfrac{x_1 x}{a^2}+\dfrac{y_1 y}{b^2}=1$$

[논제 1]

$\overline{AB}=\overline{AC}$인 이등변삼각형 ABC의 내접원 O의 반지름을 1이라 하고 <그림 1>과 같이 두 변과 내접원 O에 모두 접하는 원을 각각 P_1, Q_1, R_1이라 하자. 자연수 n에 대하여 원 P_{n+1}은 원 P_n과 두 변 AB, AC에 접하고, 원 P_{n+1}의 반지름은 원 P_n의 반지름보다 작다. 원 Q_{n+1}은 원 Q_n과 두 변 AB, BC에 접하고, 원 Q_{n+1}의 반지름은 원 Q_n의 반지름보다 작다. 원 R_{n+1}은 원 R_n과 두 변 BC, AC에 접하고, 원 R_{n+1}의 반지름은 원 R_n의 반지름보다 작다. 각 B의 크기를 θ라고 할 때, 다음 물음에 답하시오.

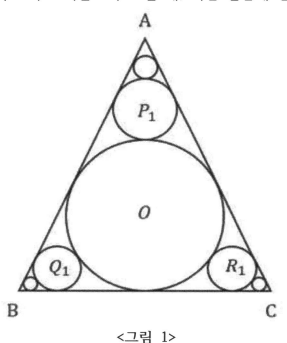

<그림 1>

(1) 모든 원의 둘레의 합을 $f(\theta)=c_1 \sec d_1\theta+c_2\csc d_2\theta+c_3$의 꼴로 나타내고, 그 근거를 논술하시오. (단, c_1, c_2, c_3, d_1, d_2는 실수이다.)

(2) 삼각형 ABC의 세 변의 길이의 합 $g(\theta)$와 극한값 $\displaystyle\lim_{\theta\to 0}\frac{f(\theta)}{g(\theta)}$, $\displaystyle\lim_{\theta\to \frac{\pi}{2}}\frac{f(\theta)}{g(\theta)}$를 구하시오. 그리고 그 근거를 논술하시오.

[논제 Ⅱ]

수직선 위의 두 점 P, Q가 시각 $t=0$일 때 각각 원점 O와 q_0에서 출발하여 속도

$v_1(t)$, $v_2(t)$로 움직인다. 다음 조건

'$q_0 > a$인 모든 실수 q_0에 대하여 $0 < t < 1$에서 두 점 P와 Q는 만나지 않는다.'

에 대하여 물음에 답하시오.

(1) $v_1(t) = v_2(t) + \cos\dfrac{\pi}{2}t$일 때. 위 조건을 만족하는 실수 a의 최솟값을 구하고, 그 근거를 논술하시오.

(2) $v_1(t) = v_2(t) + t\cos 4\pi t$일 때, 위 조건을 만족하는 실수 a의 최솟값을 구하고, 그 근거를 논술하시오.

[논제 Ⅲ]

(1) 다음과 같이 두 학생 A, B중에서 상품을 받을 한 명을 결정한다.

   (i) 비긴 경우도 포함해서 가위바위보를 최대 4회 실시한다.

   (ii) A는 B보다 이긴 횟수가 많거나 같을 때 상품을 받는다.

   (iii) B는 A보다 이긴 횟수가 많을 때만 상품을 받는다.

   (iv) 가위바위보는 상품을 받을 학생이 결정될 때까지만 한다.

예를 들어, A가 먼저 1회 이기고 2회 비긴 경우에는 남은 1회를 실시하지 않고 A가 상품을 받는다. 또한, 4회 모두 비긴 경우에도 A가 상품을 받는다. 이때 A가 상품을 받을 확률을 구하고, 그 근거를 논술하시오. (단, A, B가 가위, 바위, 보를 낼 확률은 각각 $\dfrac{1}{3}$이다.)

(2) 앞면이 검은색이고 뒷면이 흰색인 종이를 가로로 n장 붙여서 띠를 만든다. 이 띠와 같은 띠를 왼쪽과 오른쪽으로 계속 이어 붙여서 만들어지는 모양을 생각하자. 예를 들어 세 장의 종이를 검은색, 검은색, 흰색이 보이도록 순서대로 붙여서 띠를 만든 뒤, 이를 계속 이어 붙이면 <그림 2>와 같은 모양이 된다.

<그림 2>

이때, 옆으로 몇 칸 움직이거나, 위아래로 뒤집은 것들을 같은 모양으로 본다. 예를 들어 <그림 3>과 <그림 4>는 <그림 2>와 같은 모양으로 본다.

<그림 3>

<그림 4>

위의 규칙대로 n장의 종이로 만든 띠를 이어 붙여서 얻어지는 서로 다른 모양의 개수를 a_n이라 하자. 예를 들어 $n=2$일 때 검은색 면이 보이도록 놓인 종이를 B, 흰색 면이 보이도록 놓인 종이를 W로 표시하면, 서로 다른 모양은 BW로 만든 것과 BB로 만든 것 뿐이므로 a_2는 2이다. 이와 같이 a_4, a_6, a_6을 각각 구하고, 그 근거를 논술하시오.

[논제 IV]

<그림 5>와 같이 타원 $\dfrac{x^2}{a^2}+y^2=1$과 제 1사분면에서 접하는 직선이 직선 $x=a$와 점 A 에서 만나고, 직선 $y=1$과 점 B에서 만난다. 점 C는 $(a,\ 1)$이다. (단, $a>0$)

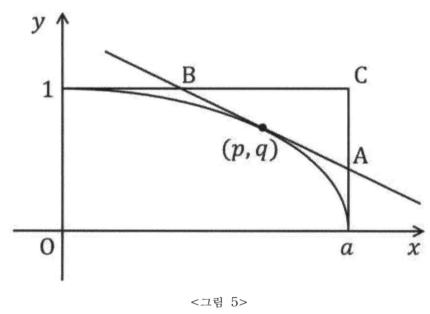

<그림 5>

(1) 접점의 좌표가 $(p,\ q)$일 때, 삼각형 ABC의 넓이를 p와 q의 식으로 나타내고, 그 근거를 논술하시오.
(2) 삼각형 ABC의 넓이의 최댓값을 구하고, 그 근거를 논술하시오.

8. 2022학년도 경희대 모의 논술

※ 제시문 [가] ~ [사]를 읽고 다음 질문에 답하시오.

[가]

  하나의 다항식을 두 개 이상의 다항식의 곱으로 나타내는 인수분해는 다항식의 전개 과정을 거꾸로 생각한 것이다. 다음 인수분해 공식은 곱셈 공식에서 얻은 것이다.

    ① $a^2 + 2ab + b^2 = (a+b)^2$

    ② $a^2 - 2ab + b^2 = (a-b)^2$

    ③ $a^2 - b^2 = (a+b)(a-b)$

    ④ $x^2 + (a+b)x + ab = (x+a)(x+b)$

    ⑤ $acx^2 + (ad+bc)x + bd = (ax+b)(cx+d)$

[나]

  함수 $f(x)$가 어떤 구간에 속하는 임의의 두 수 x_1, x_2에 대하여 $x_1 < x_2$일 때 $f(x_1) < f(x_2)$이면 함수 $f(x)$는 그 구간에서 증가한다고 한다. 또, $x_1 < x_2$일 때 $f(x_1) > f(x_2)$이면 $f(x)$는 그 구간에서 감소한다고 한다. 함수 $f(x)$가 어떤 열린구간에서 미분이 가능할 때, 그 열린구간에 속하는 모든 x에 대하여

    ① $f'(x) > 0$이면 $f(x)$는 그 열린구간에서 증가한다.

    ② $f'(x) < 0$이면 $f(x)$는 그 열린구간에서 감소한다.

[다]

  미분가능한 함수 $f(x)$에 대하여 $f'(a) = 0$이고 $x = a$의 좌우에서

    ① $f'(x)$의 부호가 양에서 음으로 바뀌면 $f(x)$는 $x = a$에서 극대이다.

    ② $f'(x)$의 부호가 음에서 양으로 바뀌면 $f(x)$는 $x = a$에서 극소이다.

[라]

  함수 $f(x)$에서 x의 값이 음수이면서 그 절댓값이 한없이 커질 때, $f(x)$의 값이 일정한 값 L에 한없이 가까워지면 이것을 기호로

$$\lim_{x \to -\infty} f(x) = L \text{ 또는 } x \to -\infty \text{일 때 } f(x) \to L$$

과 같이 나타낸다.

[마]

  어떤 시행에서 사건 A가 일어날 가능성을 수로 나타낸 것을 사건 A의 확률이라 하며, 이것을 기호로 $P(A)$와 같이 나타낸다. 표본공간이 S인 어떤 시행에서 각 근원사건이 일어날 가능성이 모두 같은 정도로 기대될 때, 사건 A가 일어날 확률 $P(A)$를

$P(A) = \dfrac{n(A)}{n(S)}$ 로 정의하고, 이것을 표본공간 S에서 사건 A가 일어날 수학적 확률이라고 한다.

[바]

사인법칙

삼각형 ABC에서 $\angle A$, $\angle B$, $\angle C$의 크기를 A, B, C로 나타내고, 이들의 대변의 길이를 각각 a, b, c로 나타내기로 한다. 이 때, 삼각형 ABC의 외접원의 반지름의 길이를 R라 하면 다음 법칙이 성립한다.

$$\frac{a}{\sin A} = \frac{b}{\sin B} = \frac{c}{\sin C} = 2R$$

[사]

삼각함수의 덧셈정리

① $\sin(\alpha + \beta) = \sin\alpha\cos\beta + \cos\alpha\sin\beta, \quad \sin(\alpha - \beta) = \sin\alpha\cos\beta - \cos\alpha\sin\beta,$

② $\cos(\alpha + \beta) = \cos\alpha\cos\beta - \sin\alpha\sin\beta, \quad \cos(\alpha - \beta) = \cos\alpha\cos\beta + \sin\alpha\sin\beta,$

③ $\tan(\alpha + \beta) = \dfrac{\tan\alpha + \tan\beta}{1 - \tan\alpha\tan\beta}, \quad \tan(\alpha - \beta) = \dfrac{\tan\alpha - \tan\beta}{1 + \tan\alpha\tan\beta}.$

[논제 1]

(1) $x^2 + y^2 = 1$을 만족하는 실수 x, y에 대하여 $100x^2 + 240xy$의 **최댓값을 구하고**, 그 근거를 논술하시오.

(2) 삼차함수 $f(x) = 4x^3 + ax^2 + bx + c$ (a, b, c 상수)에 대하여 함수 $g(x) = f(e^x)$가 다음 조건을 만족시킨다.

　　(ㄱ) 모든 실수 x에 대하여 $g'(x) = e^{4x}g'(-x)$이다.

　　(ㄴ) $\displaystyle\lim_{x \to -\infty} g(x) = -9a$이다.

　　(ㄷ) 함수 $g(x)$는 최소한 하나의 극값을 가진다.

이러한 모든 함수 $g(x)$에 대하여, 함수 $h(x) = g(x) - 2(a^2 + 6)e^x$의 **최솟값이 최대가 되는** a의 값을 구하고, 그 근거를 논술하시오.

[논제 2]

정수가 적힌 공이 여러 개 들어있는 세 개의 상자 A, B, C가 있다. 상자 A, B, C에서 각각 임의로 1개씩의 공을 꺼냈을 때, 상자 A에서 꺼낸 공에 적힌 수를 a, 상자 B에서 꺼낸 공에 적힌 수를 b, 상자 C에서 꺼낸 공에 적힌 수를 c라 하자.

(1) 상자 A에 0, 1, 2, 3, 4, 5가 각각 적힌 공 6개가, 상자 B에 1, 2, 3, 4, 5가 각각 적힌 공 5개가, 상자 C에 1, −1이 각각 적힌 공 2개가 들어있는 경우, 이차방정식 $x^2 - ax + bc = 0$이 서로 다른 2개의 정수해를 갖는 경우의 수를 구하여라.

(2) 상자 A에 2부터 16까지 자연수가 각각 하나씩 적힌 15개의 공이, 상자 B에 2, 3, 5, 7, 11, 13, 17, 19가 각각 적힌 8개의 공이, 상자 C에 1, −1이 각각 적힌 2개의 공이 들어있는 경우를 생각하자. 이차방정식 $x^2 - ax + bc = 0$이 서로 다른 2개의 정수해를 가질 확률을 구하여라.

[논제 3]

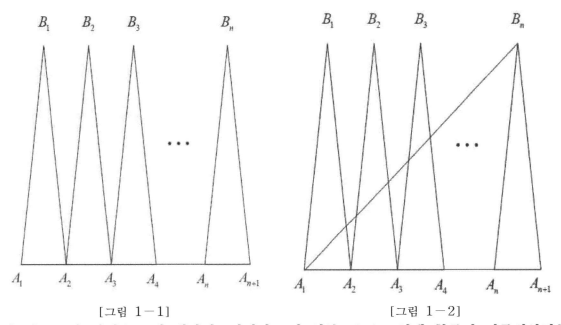

[그림 1−1]   [그림 1−2]

양의 실수 a와 자연수 n에 대하여, 길이가 a인 선분 $A_1 A_{n+1}$위에 합동인 이등변삼각형 n개를 [그림 1-1]과 같이 세워놓았다. 각각의 $i = 1, 2, \cdots, n$에 대하여, 삼각형 $A_i B_i A_{i+1}$는 $\overline{A_i B_i} = \overline{A_{i+1} B_i} = a$인 이등변삼각형이고 선분 $A_i A_{i+1}$은 선분 $A_1 A_{n+1}$위에 있다. 또한 각각의 $i = 1, 2, \cdots, n-1$에 대하여 삼각형 $A_i B_i A_{i+1}$과 삼각형 $A_{i+1} B_{i+1} A_{i+2}$는 한 점 A_{i+1}에서만 만난다. 삼각형들로 둘러싸인 영역을 R_n이라 할 때 다음 물음에 답하시오.

(1) R_n의 넓이 S_n을 a와 n에 관하여 표현하고, $\lim_{n \to \infty} S_n$을 구하시오. 그 근거를 논술하시오.

(2) [그림 1-2]와 같이 점 A_1과 점 B_n을 연결한 선분 $A_1 B_n$으로 R_n을 자를 때, 선분 $A_1 B_n$위에 있는 삼각형들의 넓이의 합을 T_n이라 하자. T_n을 a와 n에 관하여 표현하고,

$\lim_{n \to \infty} T_n$을 구하시오. 그 근거를 논술하시오.

[논제 4]

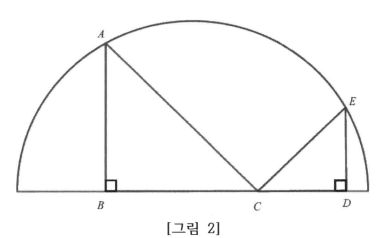

[그림 2]

반지름이 r인 반원과 두 개의 삼각형이 [그림 2]와 같이 주어져 있다. 삼각형 ABC는 $\angle ABC = \dfrac{\pi}{2}$이고 $\overline{AB} = \overline{BC}$이며, 삼각형 CDE는 $\angle CDE = \dfrac{\pi}{2}$이고 $\overline{CD} = \overline{DE}$인 직각이등변 삼각형이다. 변 BC와 변 CD는 반원의 지름 위에 있으며, 점 A와 점 E는 반원의 호 위에 있고, 두 삼각형은 한 점 C에서만 만날 때 다음 물음에 답하시오.

(1) 두 삼각형의 넓이의 합의 최댓값을 구하고 그 근거를 서술하시오.
(2) 두 삼각형의 둘레의 길이의 합의 최댓값을 구하고 그 근거를 서술하시오.

9. 2021학년도 경희대 수시 논술 (토요일)

※ 다음 제시문을 읽고 논제에 답하시오.

[가]

점 $(x_1,\ y_1)$을 지나고 기울기가 m인 직선의 방정식은

$$y - y_1 = m(x - x_1)$$

[나]

함수 $f(x)$가 임의의 세 실수 $a,\ b,\ c$를 포함하는 닫힌구간에서 연속일 때,

$$\int_a^c f(x)dx + \int_c^b f(x)dx = \int_a^b f(x)dx$$

[다]

삼각함수의 도함수

$$(\sin x)' = \cos x, \quad (\cos x)' = -\sin x, \quad (\tan x)' = \sec^2 x$$

$$(\csc x)' = -\csc x \cot x, \quad (\sec x)' = \sec x \tan x, \quad (\cot x)' = -\csc^2 x$$

[라]

삼각함수의 덧셈정리

① $\sin(\alpha + \beta) = \sin\alpha\cos\beta + \cos\alpha\sin\beta, \quad \sin(\alpha - \beta) = \sin\alpha\cos\beta - \cos\alpha\sin\beta$

② $\cos(\alpha + \beta) = \cos\alpha\cos\beta - \sin\alpha\sin\beta, \quad \cos(\alpha - \beta) = \cos\alpha\cos\beta + \sin\alpha\sin\beta$

③ $\tan(\alpha + \beta) = \dfrac{\tan\alpha + \tan\beta}{1 - \tan\alpha\tan\beta}, \quad \tan(\alpha - \beta) = \dfrac{\tan\alpha - \tan\beta}{1 + \tan\alpha\tan\beta}$

[마]

함수 $f(x)$가 어떤 구간에 속하는 임의의 두 수 $x_1,\ x_2$에 대하여 $x_1 < x_2$일 때 $f(x_1) < f(x_2)$이면 함수 $f(x)$는 그 구간에서 증가한다고 한다. 또, $x_1 < x_2$일 때 $f(x_1) > f(x_2)$이면 $f(x)$는 그 구간에서 감소한다고 한다. 함수 $f(x)$가 어떤 열린구간에서 미분가능할 때, 그 열린구간에 속하는 모든 x에 대하여

① $f'(x) > 0$이면 $f(x)$는 그 열린구간에서 증가한다.
② $f'(x) < 0$이면 $f(x)$는 그 열린구간에서 감소한다.

논제 [Ⅰ] 제시문 [가] [마]를 읽고 다음 질문에 답하시오.

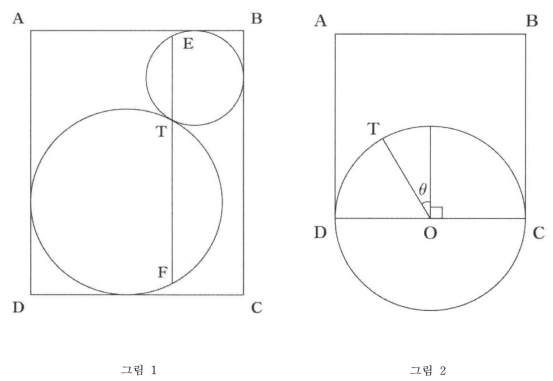

그림 1   그림 2

[논제 I-1]

[그림 1]과 같이 직사각형 ABCD의 내부에 원 S_1과 원 S_2가 있다. 원 S_1은 선분 AB와 BC에 동시에 접하고 원 S_2는 선분 CD와 AD에 동시에 접하며, 원 S_1과 원 S_2는 한 점 T에서 만난다. 점 T를 지나고 선분 AD에 평행한 직선이 원 S_1, 원 S_2와 만나는 T가 아닌 점들을 각각 E, F라 하자. 선분 AB의 길이가 100이고 선분 EF의 길이가 120일 때, 다음 물음에 답하시오.

(1) 직사각형 ABCD의 넓이를 구하고, 그 근거를 논술하시오.
(2) 두 원의 넓이의 합의 최댓값과 최솟값을 구하시오. 이때 두 원의 반지름의 길이를 각각 구하고, 그 근거를 논술하시오.

[논제 I-2]

넓이가 4인 정사각형 ABCD와 변 CD의 중점 O를 중심으로 하고 반지름의 길이가 1인 원이 있다. [그림 2]와 같이 사각형 ABCD의 내부에 있는 원 위의 한 점을 T라 하자. 점 O에서 시작하고 선분 AB의 중점을 지나는 반직선으로부터 반시계 방향으로 선분 OT까지의 각을 θ라 하고, 점 T에서 원에 접하는 직선을 l이라 할 때, 다음 물음에 답

하시오. (단, $0 \le \theta < \dfrac{\pi}{2}$)

(1) 직선 l이 점 B를 지날 때, $\sin\theta$, $\cos\theta$, $\tan\theta$를 각각 구하고, 그 근거를 논술하시오.

(2) 직선 l이 정사각형 ABCD와 만나는 두 점 사이의 거리를 θ에 관한 함수 $f(\theta)$로 나타내고, 그 근거를 논술하시오.

(3) [논제 I-2] (2)에서의 $f(\theta)$에 대하여

$$J = \int_0^{\frac{\pi}{4}} (f(\theta)\sin\theta cos\theta - \cos\theta)d\theta$$

일 때, $\sin J$의 값을 계산하고, 그 과정을 논술하시오.

10. 2021학년도 경희대 수시 논술 (일요일)

※ 다음 제시문을 읽고 논제에 답하시오.

[가]

n번의 독립시행에서 사건 A가 일어나는 횟수를 X라고 하면 X는 0, 1, ⋯, n의 값을 갖는 확률변수이다. 한 번의 시행에서 사건 A가 일어날 확률을 p라고 하면 X의 확률질량함수는 독립시행의 확률에 의하여

$$P(X=k) = {}_n C_k p^k q^{n-k} \quad (q=1-p, \ k=0, \ 1, \ \cdots, \ n)$$

이다.

[나]

미분 가능한 두 함수 $y=f(u)$와 $u=g(x)$에 대하여 합성함수 $y=f(g(x))$의 도함수는

$$\frac{dy}{dx} = \frac{dy}{du} \times \frac{du}{dx} \quad \text{또는} \quad \{f(g(x))\}' = f'(g(x))g'(x)$$

이다.

[다]

미분 가능한 함수 $f(x)$의 도함수는

$$f'(x) = \lim_{h \to 0} \frac{f(x+h)-f(x)}{h}$$

[라]

두 함수 $f(x)$, $g(x)$가 미분가능하고 $f'(x)$, $g'(x)$가 닫힌구간 $[a, b]$에서 연속일 때,

$$\int_a^b f(x)g'(x)dx = [f(x)g(x)]_a^b - \int_a^b f'(x)g(x)dx$$

[마]

함수 $f(t)$가 닫힌구간 $[a, b]$에서 연속일 때,

$$\frac{d}{dx}\int_a^x f(t)dt = f(x) \quad (\text{단, } a < x < b)$$

[논제 I] 제시문 [가] [마]를 읽고 다음 질문에 답하시오.

[논제 I-1]

자연수 n과 확률 p에 대하여 이산확률변수 X가 가질 수 있는 값은 0부터 n까지 음이 아닌 정수 이며, X의 확률질량함수는

$$P(X=k) = {}_n C_k p^k q^{n-k} \quad (q=1-p, \ k=0, \ 1, \ \cdots, \ n)$$

이다. X의 평균과 표준편차를 각각 m과 σ라 할 때, 다음 조건들이 성립한다.

(ㄱ) $n \geq 60$, $0.1 \leq p \leq 0.5$ (ㄴ) $m\sigma = 80$ (ㄷ) $P\left(|X-m| \geq \dfrac{2}{5} m\right) = 0.0456$

이때, n과 p를 구하고, 그 근거를 논술하시오. (단, Z가 표준정규분포를 따르는 확률변

수일 때, $P(0 \leq Z \leq 1) = 0.3413$, $P(0 \leq Z \leq 2) = 0.4772$, $P(0 \leq Z \leq 3) = 0.4987$로 계산한다.)

[논제 I-2]
[그림 1]과 같이 점 O에서 시작하는 세 반직선 l, m, n이 있다. 두 반직선 m과 n이 이루는 각의 크기는 θ, 두 반직선 l과 m이 이루는 각의 크기는 2θ, 두 반직선 l과 n이 이루는 각의 크기는 3θ이다. 원 C_1은 반직선 l과 점 P에서 접하고 반직선 m과 점 Q에서 접한다. 선분 OP의 길이는 1이며 원 C_1의 중심 O_1과 점 Q를 지나는 직선은 반직선 n

과 점 R에서 만난다. 삼각형 O_1PR의 넓이를 $S(\theta)$라 할 때, $\int_{\frac{\pi}{6}}^{\frac{\pi}{4}} S(\theta)d\theta$의 값을 구하고,

그 과정을 논술하시오. (단, $0 < \theta < \dfrac{\pi}{3}$)

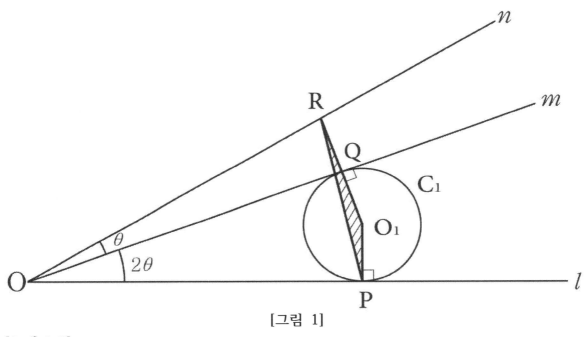

[그림 1]

[논제 I-3]
실수 전체의 집합에서 미분가능하며 양의 값을 가지는 함수 $f(x)$가 모든 실수 x, y에 대하여
$$f(x+y) = f(x)f(y)e^{2xy}, \quad f'(0) = 0$$
을 만족시킬 때, 다음 물음에 답하시오.

① $f(x)$을 구하고, 그 근거를 논술하시오.
② 양의 실수 전체의 집합에서 미분가능한 함수 $g(x)$가 모든 실수 x에 대하여
$$g'(f(x))f'(x) = 2x(1+2x^2)f(\sqrt{2}\,x), \quad g(1) = 0$$

을 만족시킨다. 이때 $g(e)$의 값을 구하고, 그 근거를 논술하시오.

(3) 실수 전체의 집합에서 연속인 함수 $h(x)$가 $\displaystyle\int_0^x tf(x-t)h(x-t)dt = f(x)-1$을 만족시
킨다. 곡선 $y=h(x)$위의 점 $(a,\ h(a))$에서의 접선과 수직이며 점 $(a,\ h(a))$를 지나는 직
선이 x축과 만나는 점을 $(49,\ 0)$라 할 때 a의 값을 구하고, 그 근거를 논술하시오.

11. 2021학년도 경희대 모의 논술

※ 다음 제시문을 읽고 논제에 답하시오.

[가]

함수 $f(x)$가 $x=a$에서 미분가능할 때, 곡선 $y=f(x)$위의 점 $P(a,\ f(a))$에서의 접선의 방정식은

$$y-f(a)=f'(a)(x-a)$$

[나]

함수 $f(x)$가 어떤 열린구간에서 미분 가능할 때, 그 열린구간에 속하는 모든 x에 대하여

① $f'(x)>0$이면 $f(x)$는 그 열린구간에서 증가한다.
② $f'(x)<0$이면 $f(x)$는 그 열린구간에서 감소한다.

[다]

함수 $f(x)$가 미분가능하고 $f'(a)=0$일 때, $x=a$의 좌우에서 $f'(x)$의 부호가

① 양에서 음으로 바뀌면 $f(x)$는 $x=a$에서 극대이고, 극댓값 $f(a)$를 갖는다.
② 음에서 양으로 바뀌면 $f(x)$는 $x=a$에서 극소이고, 극솟값 $f(a)$를 갖는다.

[라]

동시에 일어나지 않는 두 사건에 대하여 다음과 같은 합의 법칙이 성립한다.
두 사건 A, B가 동시에 일어나지 않을 때, 사건 A와 사건 B가 일어나는 경우의 수가 각각 m, n이면, 사건 A또는 사건 B가 일어나는 경우의 수는 $m+n$이다.

[마] 일반적으로 같은 것이 있는 순열의 수는 다음과 같다.
n개 중에서 서로 같은 것이 각각 p개, q개, ..., r개 있을 때, n개를 일렬로 나열하는 순열의 수는

$$\frac{n!}{p!\times q!\times\cdots r!}\ (단,\ p+q+\cdots+r=n)$$

[논제 I] 제시문 [가] [마]를 읽고 다음 질문에 답하시오.

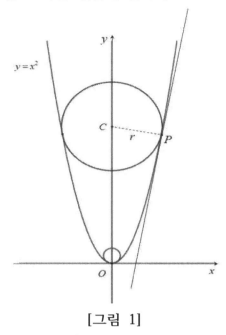

[그림 1]

[논제 I-1] [그림 1]과 같이 곡선 $y = x^2$ 위의 점 P를 지나고 y축 위의 점 $C(0,\ b)$를 중심으로 하며, 점 P에서의 접선이 곡선 $y = x^2$의 접선과 일치하는 원이 있다. 원의 반지름을 r이라 했을 때, 다음 물음에 답하시오 (단, $b,\ r > 0$).

(1) 점 P의 좌표가 $\left(\dfrac{\sqrt{3}}{2},\ \dfrac{3}{4} \right)$일 때, 원의 중심 $C(0,\ b)$와 원의 반지름 r을 구하고 그 근거를 논술하시오.

(2) 원과 곡선 $y = x^2$이 한 점에서 만나기 위한 r의 범위와 두 점에서 만나기 위한 r의 범위를 각각 구하고 그 근거를 서술하시오.

[논제 I-2] [그림 2]와 같이 16개의 교차로 지점이 있는 정사각형 도로망이 있다. 이웃한 두 지점 사이의 거리는 모두 1이다.

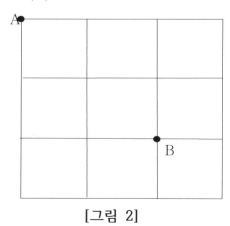

[그림 2]

(1) 임의의 서로 다른 두 교차로 지점을 선택했을 때 두 지점 사이 최단 경로의 수가 될 수 있는 자연수를 모두 구하고, 그 근거를 논술하시오. 예를 들어, 지점 A와 지점 B사이의 최단 경로의 수는 6이다.

(2) 도로망에서 지점 A를 지날 수 없다고 가정하자. 지점 A를 제외하고 서로 다른 두 교차로 지점을 선택했을 때 두 지점 사이 최단 경로의 수가 6이상이 될 확률을 구하고, 그 근거를 논술하시오.

12. 2020학년도 경희대 수시 논술 (토요일)

※ 다음 제시문을 읽고 논제에 답하시오.

[가]

함수 $f(x)$에서 x의 값이 a보다 큰 값을 가지면서 a에 한없이 가까워질 때, $f(x)$의 값이 일정한 수 α에 한없이 가까워지면 α를 $x=a$에서의 함수 $f(x)$의 우극한이라 하며, 기호로 $\lim\limits_{x \to a+} f(x) = \alpha$와 같이 나타낸다. 또, x가 a보다 작은 값을 가지면서 a에 한없이 가까워질 때, $f(x)$의 값이 일정한 수 β에 한없이 가까워지면 β를 $x=a$에서의 함수 $f(x)$의 좌극한이라 하며, 기호로 $\lim\limits_{x \to a-} f(x) = \beta$와 같이 나타낸다.

[나]

함수 $y=f(x)$가 $x=a$에서 미분가능할 때, 곡선 $y=f(x)$위의 점 $(a, f(a))$에서의 접선의 방정식은

$$y - f(a) = f'(a)(x-a)$$

[다]

구간 $[a, b]$에서 연속인 함수 $f(x)$에 대하여 미분가능한 함수 $x=g(t)$의 도함수 $g'(t)$가 구간 $[\alpha, \beta]$에서 연속이고 $a=g(\alpha)$, $b=g(\beta)$이면

$$\int_a^b f(x)dx = \int_\alpha^\beta f(g(t))g'(t)dt$$

[라]

닫힌 구간 $[a, b]$의 임의의 점 x에서 x축에 수직인 평면으로 자를 때 생기는 단면의 넓이가 $S(x)$인 입체도형의 부피 V는

$$V = \int_a^b S(x)dx \,(단, \, S(x)는 닫힌구간 [a, b]에서 연속)$$

[마]

미분가능한 함수 $f(x)$에 대하여 $f'(a)=0$일 때, $x=a$의 좌우에서 $f'(x)$의 부호가 양에서 음으로 바뀌면 $f(x)$는 $x=a$에서 극대이고, 극댓값 $f(a)$를 가진다.

[논제 I] 제시문 [가] [마]를 읽고 다음 질문에 답하시오.

그림과 같이 원 S_2는 원 $S_1 : x^2 + y^2 = r^2 \,(r > 0)$의 내부에서 x축과 접하고, 제 1사분면 위의 점 P에서 원 S_1과 접한다. 원 S_2의 중심을 C라 하고 점 C에서 x축에 내린 수선의 발을 Q라 하자. (단, O는 원점)

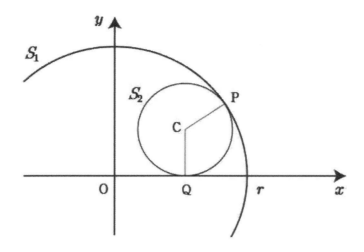

[논제 I-1]

$r=1$일 때 원 S_1위의 점 $P\left(\dfrac{\sqrt{3}}{2},\ \dfrac{1}{2}\right)$에서의 접선을 l이라 하자. 접선 l이 x축과 만나는 점 을 D라 할 때, 두 점 C와 D를 지나는 직선의 방정식을 구하고, 그 근거를 논술하시오.

[논제 I-2]

① $0<a<r$인 점 $P\left(a,\ \sqrt{r^2-a^2}\right)$에 대하여, 점 C의 x좌표와 y좌표를 a에 관한 함수 $g(a)$와 $h(a)$로 각각 나타내고, 그 근거를 논술하시오.

② 극한값 $\displaystyle\lim_{a\to 0+}g(a),\ \lim_{a\to 0+}h(a),\ \lim_{a\to r-}g(a),\ \lim_{a\to r-}h(a)$를 구하고, 그 근거를 논술하시오.

[논제 I-3]

점 C가 그리는 곡선과 x축 그리고 y축으로 둘러싸인 영역 A의 넓이를 $\alpha(r)$이라 하자. 영역 A의 내부에 있고 각 변이 x축 또는 y축에 평행한 직사각형의 넓이의 최댓값을 $\beta(r)$이라 할 때, $\alpha(r)$과 $\beta(r)$을 각각 구하고, 그 근거를 논술하시오.

[논제 I-4]

① 삼각형 CPQ를 밑면으로 하고 높이가 선분 OC의 길이와 같은 삼각기둥을 만들었을 때, 이 삼각기둥의 부피의 최댓값을 구하고, 그 근거를 논술하시오.

② $r\geq 2$이고 $0<x<r$일 때, 점 Q의 좌표가 $(x, 0)$인 삼각형 CPQ의 넓이를 $S(x)$라 하자. 닫힌 구간 $\left[\dfrac{1}{\sqrt{r}},\ \sqrt{\dfrac{2}{r}}\right]$의 임의의 점 x에서 x축에 수직인 평면으로 자른 단면의 넓이가 $S(x)$인 입체도형의 부피가 $V(r)$일 때, 극한값 $\displaystyle\lim_{r\to\infty}V(r)$을 구하고, 그 근거를 논술하시오.

13. 2020학년도 경희대 수시 논술 (일요일)

※ 다음 제시문을 읽고 논제에 답하시오.

[가]

이차방정식 $ax^2 + bx + c = 0(a \neq 0)$의 두 근을 α, β라고 하면

$$\alpha + \beta = -\frac{b}{a}, \quad \alpha\beta = \frac{c}{a}$$

[나]

함수 $f(x)$가 어떤 구간에서 미분가능하고, 이 구간의 모든 x에 대하여

(1) $f'(x) > 0$이면 $f(x)$는 이 구간에서 증가한다.
(2) $f'(x) < 0$이면 $f(x)$는 이 구간에서 감소한다.

[다]

함수 $f(x)$가 구간 $[a, b]$에서 연속이고, $F(x)$가 $f(x)$의 부정적분이면

$$\int_a^b f(x)dx = [F(x)]_a^b = F(b) - F(a)$$

[라]

(1) 두 함수 $f(x)$, $g(x)$가 미분가능하고 $g(x) \neq 0$일 때,

$$y = \frac{f(x)}{g(x)} \text{이면} y' = \frac{f'(x)g(x) - f(x)g'(x)}{\{g(x)\}^2}$$

(2) 두 함수 $y = f(u)$, $u = g(x)$가 미분가능할 때, 합성함수 $y = f(g(x))$의 도함수는

$$\frac{dy}{dx} = \frac{dy}{du} \cdot \frac{du}{dx} \text{ 또는 } \{f(g(x))\}' = f'(g(x))g'(x)$$

[마]

미분가능한 함수 $t = g(x)$의 도함수 $g'(x)$가 구간 $[a, b]$에서 연속이고, $g(a) = \alpha$, $g(b) = \beta$에 대하여 함수 $f(t)$가 α와 β를 양 끝으로 하는 닫힌 구간에서 연속일 때,

$$\int_a^b f(g(x))g'(x)dx = \int_\alpha^\beta f(t)dt$$

[논제 I-1]

[그림 1]과 같이 $a > 1$이고 사각형 R은 꼭짓점이 $(1, 1)$, $(-1, 1)$, $(-1, -1)$, $(1, -1)$인 정사각형이다. 직선 l이 $(1, 1)$을 지날 때의 θ를 θ_0이라 하자. $0 \leq \theta < \theta_0$일 때, 직선 l과 정 사각형 R은 서로 다른 두 점에서 만나고 이 두 점을 A와 B라 하자. (단, A의 x좌표가 B의 x좌표보다 크다.) $\theta = \theta_0$인 경우 한 점에서 만나므로 점 A와 B모두 $(1, 1)$이라 하자.

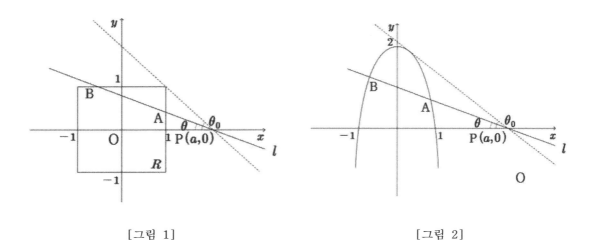

[그림 1]   [그림 2]

① 직선 l이 점 $(-1, 1)$을 지날 때의 θ를 θ_1이라 하자. $\tan\theta_1$을 a를 이용하여 나타내고, 그 근거를 논술하시오.

② $0 \leq \theta \leq \theta_0$에 대하여 $\overline{PB}^2 - \overline{PA}^2$을 θ에 관한 함수 $g(\theta)$로 나타낼 수 있다. $\int_0^{\theta_0} g(\theta)d\theta$ 를 구하고, 그 근거를 논술하시오.

[논제 I-2]

[그림 2]와 같이 직선 l이 곡선 $C: y = -2x^2 + 2$에 접하고, 이 접점의 y좌표가 0보다 크거나 같을 때의 θ를 θ_2라 하자. $0 \leq \theta < \theta_2$일 때, 직선 l과 곡선 C는 서로 다른 두 점에서 만나고 이 두 점을 A와 B라 하자. (단, A의 x좌표가 B의 x좌표보다 크다.)

① $\tan\theta_2$를 a를 이용하여 나타내고, 그 근거를 논술하시오.

② $a = 1$이고 $0 \leq \theta < \theta_2$일 때, $\overline{AB}^2$이 최대가 되는 $\tan\theta$와 $\overline{AB}^2$의 최댓값을 구하고, 그 근거를 논술하시오.

③ 직선 l이 점 $(0, 2)$를 지날 때의 θ를 θ_3이라 하자. $0 \leq \theta \leq \theta_3$에 대하여 A와 B의 중점이 M일 때, 선분 PM과 선분 MB의 길이의 곱 $\overline{PM} \times \overline{MB}$를 θ에 관한 함수 $h(\theta)$로 나타낼 수 있다. $\int_0^{\theta_3} h(\theta)d\theta$를 a를 이용하여 나타내고, 그 근거를 논술하시오.

14. 2020학년도 경희대 모의 논술

※ 다음 제시문을 읽고 논제에 답하시오.

[가]

$x = a$에서 미분가능한 곡선 $y = f(x)$위의 점 $P(a,\ f(a))$에서의 접선의 방정식은
$$y - f(a) = f'(a)(x - a)$$

[나]

n이 실수일 때, $y = x^n$이면 $y' = nx^{n-1}$

[다]

함수 $f(x)$가 어떤 구간의 임의의 x_1, x_2에 대하여 $x_1 < x_2$일 때 $f(x_1) < f(x_2)$이면 $f(x)$는 그 구간에서 증가한다고 한다. 한편 $x_1 < x_2$일 때 $f(x_1) > f(x_2)$이면 $f(x)$는 그 구간에서 감소한다고 한다. $f(x)$가 어떤 열린구간에서 미분이 가능하고, 이 구간의 모든 x에 대하여

    ① $f'(x) > 0$이면 $f(x)$는 이 구간에서 증가한다.
    ② $f'(x) < 0$이면 $f(x)$는 이 구간에서 감소한다.

[라]

삼각함수의 덧셈정리
$$\sin(\alpha + \beta) = \sin\alpha\cos\beta + \cos\alpha\sin\beta \qquad \sin(\alpha - \beta) = \sin\alpha\cos\beta - \cos\alpha\sin\beta$$
$$\cos(\alpha + \beta) = \cos\alpha\cos\beta - \sin\alpha\sin\beta \qquad \cos(\alpha - \beta) = \cos\alpha\cos\beta + \sin\alpha\sin\beta$$
$$\tan(\alpha + \beta) = \frac{\tan\alpha + \tan\beta}{1 - \tan\alpha\tan\beta} \qquad\qquad \tan(\alpha - \beta) = \frac{\tan\alpha - \tan\beta}{1 + \tan\alpha\tan\beta}$$

[마]

구간 $[a,\ b]$에서 연속인 함수 $y = f(x)$의 그래프와 x축 및 두 직선 $x = a$, $x = b$로 둘러싸인 영역의 넓이 S는
$$S = \int_a^b |f(x)|dx$$

[바]

다항식 $P(x)$에서 $P(a) = 0$이면 $P(x)$는 일차식 $x - a$로 나누어떨어진다.

[논제 I] 제시문 [가] [바]를 읽고 다음 질문에 답하시오.

[논제 I-1] 곡선 $y = x^2 (x > 0)$위의 두 점 A, B가 있다. (단, B의 x좌표가 A의 x좌표보다 크다)

(1) 두 점 A, B의 x좌표의 차가 $h(h > 0)$일 때, 선분 AB와 곡선 $y = x^2$로 둘러싸인 영

역의 넓이를 구하고, 그 근거를 논술하시오.

(2) 점 A의 좌표가 $(a,\ a^2)$이고 선분 AB의 길이가 $\sqrt{\dfrac{25a^4}{16}+\dfrac{a^2}{4}}$일 때 $(a>0)$, 선분 AB와 곡선 $y=x^2$로 둘러싸인 영역의 넓이를 구하고, 그 근거를 논술하시오.

[논제 I-2] $n>1$인 실수 n에 대하여 두 함수 $f(x)=x^n$과 $g(x)=x^{1-\frac{1}{n}}$의 그래프는 점 두 점 $O(0,\ 0)$과 $P(1,\ 1)$에서 만난다. 점 $P(1,\ 1)$에서 함수 $f(x)=x^n$의 그래프 $y=f(x)$에 접하는 접선이 x축과 만나는 점을 $A_n(a_n,\ 0)$, 점 $P(1,\ 1)$에서 함수 $g(x)=x^{1-\frac{1}{n}}$에 그 래프 $y=g(x)$에 접하는 접선이 y축과 만나는 점을 $B_n(0,\ b_n)$이라 했을 때, 다음 물음에 답하시오.

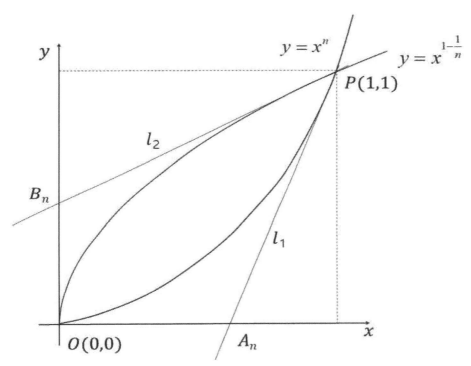

(1) 삼각형 A_nPB_n의 넓이가 최소가 되는 n의 값과, 그 때 삼각형 A_nPB_n의 넓이를 구하고, 그 근거를 논술하시오.

(2) 각 A_nPB_n를 θ라 했을 때, θ가 최소가 되는 n의 값과, 그 때 $\tan\theta$의 값을 구하고, 그 근거를 논술하시오.

15. 2019학년도 경희대 수시 논술 [토요일]

※ 다음 제시문을 읽고 논제에 답하시오.

[가] 두 초점 $F(c, 0)$, $F'(-c, 0)$으로부터의 거리의 합이 $2a(a > c > 0)$인 타원의 방정식은 $\dfrac{x^2}{a^2} + \dfrac{y^2}{b^2} = 1$이다. (단, $b^2 = a^2 - c^2$)

[나] 두 변수 x, y의 함수 관계가 변수 t를 매개로 하여
$$x = f(t), \quad y = g(t)$$
와 같이 나타날 때 변수 t를 매개변수라 하고, 위 함수를 매개변수로 나타낸 함수라고 한다.

[다] 점 (x_1, y_1)과 직선 $ax + by + c = 0$사이의 거리 d는 $d = \dfrac{|ax_1 + by_1 + c|}{\sqrt{a^2 + b^2}}$이다.

[라] 삼각함수에 대하여, 다음 등식이 성립한다.
$$\sin(\alpha + \beta) = \sin\alpha\cos\beta + \cos\alpha\sin\beta, \quad \sin(\alpha - \beta) = \sin\alpha\cos\beta - \cos\alpha\sin\beta,$$
$$\cos(\alpha + \beta) = \cos\alpha\cos\beta - \sin\alpha\sin\beta, \quad \cos(\alpha - \beta) = \cos\alpha\cos\beta + \sin\alpha\sin\beta,$$
$$\tan(\alpha + \beta) = \frac{\tan\alpha + \tan\beta}{1 - \tan\alpha\tan\beta}, \quad \tan(\alpha - \beta) = \frac{\tan\alpha - \tan\beta}{1 + \tan\alpha\tan\beta}.$$

[마] 닫힌구간 $f(x)[a, b]$의 임의의 점 x에서 x축에 수직인 평면으로 자른 단면의 넓이가 $S(x)$인 입체도형의 부피 V는
$$V = \int_a^b S(x)dx$$이다.(단, $S(x)$는 구간 $[a, b]$에서 연속)

[바] 함수가 어떤 구간에서 미분 가능할 때, 그 구간의 모든 x에 대하여
① $f'(x) > 0$이면 $f(x)$는 그 구간에서 증가한다.
② $f'(x) < 0$이면 $f(x)$는 그 구간에서 감소한다.

[논제 I] 제시문 [가] [바]를 읽고 다음 질문에 답하시오.

타원 $\dfrac{x^2}{a^2} + \dfrac{y^2}{b^2} = 1 (a > b > 0)$위의 점 A에서의 접선 l에 대하여 다음 질문에 답하시오.
(단, O는 원점)

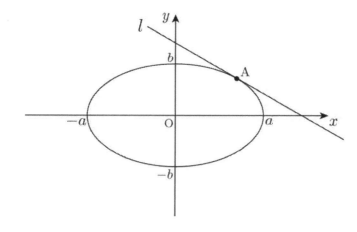

[논제 I-1] $a = 2$, $b = 1$이라 하자. 중심이 원점이고 접선 l에 접하는 원의 넓이가 2π일 때 제 1사분면에 있는 점 A의 좌표를 구하고, 그 근거를 논술하시오. (10점)

[논제 I-2] $0 \leq x \leq \frac{\sqrt{2}}{2}a$일 때, 타원 위의 점 A$(x, y)$와 점 A에서 x축에 내린 수선의 발 A$'(x, 0)$, 점 B$(-a, 0)$으로 만들어지는 삼각형 AA$'$B의 넓이를 $S(x)$라 하자. 닫힌구간 $\left[0, \frac{\sqrt{2}}{2}a \right]$의 임의의 x에서 x축에 수직인 평면으로 자른 단면의 넓이가 $S(x)$인 입체도형 의 부피를 구하고, 그 근거를 논술하시오. (15점)

[논제 I−3]

$0 < t < \frac{\pi}{2}$일 때, 타원 위의 점 A$(a\cos t, b\sin t)$에서의 접선 l이 x축과 만나는 점을 C, y축과 만나는 점을 D라 하자. 이때, 선분 CD의 길이가 최소가 되는 t에 대하여 $\sin t$의 값을 구하고, 그 근거를 논술하시오. (15점)

[논제 I-4] $0 < t < \frac{\pi}{2}$일 때, 타원 위의 점 A$(a\cos t, b\sin t)$를 지나고 접선 l과 수직인 직선 을 l'이라 하자. 직선 l'과 선분 OA가 이루는 각 중 예각을 θ라 할 때, 다음 질문에 답 하시오.

① $\tan\theta$를 t에 관한 함수로 나타낼 수 있고 이 함수를 $f(t)$라 하자. $\int_0^{\frac{\pi}{2}} f(t)dt$를 구하고, 그 근거를 논술하시오. (12점)

② $x = a\cos t$라 두면, $\tan\theta$를 x에 관한 함수로 나타낼 수 있고 이 함수를 $g(x)$라 하자. $\int_0^a g(x)dx$를 구하고, 그 근거를 논술하시오. (8점)

16. 2019학년도 경희대 수시 논술 [일요일]

※ 다음 제시문을 읽고 논제에 답하시오.

[가]

① 좌표평면 위의 한 점 $A(x_1, y_1)$을 지나고 기울기가 m인 직선의 방정식은

$y - y_1 = m(x - x_1)$이다.

② 중심이 (a, b)이고 반지름의 길이가 r인 원의 방정식은 $(x-a)^2 + (y-b)^2 = r^2$이다.

[나]

x의 값이 a보다 크면서 a에 한없이 가까워질 때, 함수 $f(x)$의 값이 일정한 값 L에 한없이 가까워지는 것을 기호로 $\lim\limits_{x \to a+} f(x) = L$과 같이 나타내고, L을 $x = a$에서의 함수 $f(x)$의 우극한이라고 한다. 또, x의 값이 a보다 작으면서 a에 한없이 가까워질 때, 함수 $f(x)$의 값이 일정한 값 M에 한없이 가까워지는 것을 기호로 $\lim\limits_{x \to a-} f(x) = M$과 같이 나타내고, M을 $x = a$에서의 함수 $f(x)$의 좌극한이라고 한다.

[다]

함수 $f(x)$가 어떤 구간에서 미분가능하고, 이 구간의 모든 x에 대하여

(1) $f'(x) > 0$이면 $f(x)$는 그 구간에서 증가한다.

(2) $f'(x) < 0$이면 $f(x)$는 그 구간에서 감소한다.

[라]

미분 가능한 두 함수 $y = f(u)$, $u = g(x)$에 대하여 합성함수 $y = f(g(x))$를 미분하면

$\dfrac{dy}{dx} = \dfrac{dy}{du} \cdot \dfrac{du}{dx}$ 또는 $\{f(g(x))\}' = f'(g(x))g'(x)$이다.

[마]

함수 $y = x^n$ (n은 실수)의 부정적분

(1) $n \neq -1$일 때, $\displaystyle\int x^n dx = \dfrac{1}{n+1} x^{n+1} + C$

(2) $n = -1$일 때, $\displaystyle\int x^n dx = \ln|x| + C$

(단, C는 상수)

[논제 I] 제시문 [가] [마]를 읽고 다음 질문에 답하시오.

$0 < p \leq 1$일 때, 점 $A\left(p, \dfrac{1}{p}\right)$은 곡선 $y = \dfrac{1}{x}$ $(x > 0)$위의 점이다. 이때, 점 A에서 $y = \dfrac{1}{x}$과 접하는 원 중에서 y축에도 접하는 원의 중심을 C(a, b)라 하자. $0 < a < p$일 때, 다음 물음에 답하시오.

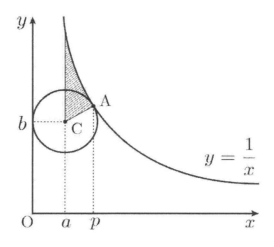

[논제 I-1]

$p=1$일 때, 직선 $x=1$에 의하여 나누어지는 원의 두 부분 중에서 작은 부분의 넓이를 구하고, 그 근거를 논술하시오. (10점)

[논제 I-2]

a와 b를 p에 관한 함수 $a=f(p)$와 $b=g(p)$로 나타내고, 그 근거를 논술하시오.

[논 제 I-3]

함수 $h(p)=f(p)g(p)$라 할 때,

(1) $h(p)$가 $0<p<1$에서 증가하는지 감소하는지를 조사하고, 그 근거를 논술하시오.

(2) $p=0$에서의 $h(p)$의 우극한이 존재하면 그 값을 구하고, 그 과정을 서술하시오. 만일, 우극한이 존재하지 않는다면, 그 근거를 논술하시오.

[논제 I-4]

직선 $x=a$, 곡선 $y=\dfrac{1}{x}$과 선분 AC로 둘러싸인 도형의 넓이를 p에 관한 함수 $S(p)$라 하자. $p=0$에서의 $S(p)$의 우극한을 구하고, 그 근거를 논술하시오.

17. 2019학년도 경희대 온라인 모의 논술

※ 다음을 읽고 물음에 답하시오.

[가] 실수 m, n과 양의 실수 a, b에 대하여, $\sqrt{a}\sqrt{b}=\sqrt{ab}$, $\sqrt{a^2 b}=a\sqrt{b}$, $m\sqrt{a}+n\sqrt{a}=(m+n)\sqrt{a}$, $m\sqrt{a}-n\sqrt{a}=(m-n)\sqrt{a}$이다. 유리수 k, l, s, t과 무리수 $\sqrt{p}$에 대하여 $k+l\sqrt{p}=s+t\sqrt{p}$이기 위한 필요충분조건은 $k=s$, $l=t$이다.

[나] 쌍곡선의 방정식

(1) 두 초점 $F(c,0)$, $F'(-c,0)$으로부터 거리의 차가 $2a\,(c>a>0)$인 쌍곡선의 방정식은 $\dfrac{x^2}{a^2}-\dfrac{y^2}{b^2}=1$ $(b^2=c^2-a^2)$

(2) 두 초점 $F(0,c)$, $F'(0,-c)$으로부터 거리의 차가 $2a\,(c>b>0)$인 쌍곡선의 방정식은 $\dfrac{x^2}{a^2}-\dfrac{y^2}{b^2}=-1$ $(a^2=c^2-b^2)$

(1), (2)의 경우 점근선의 방정식은 $y=\pm\dfrac{b}{a}x$이다.

[다] 함수 $f:X\to Y$에서 정의역 X의 임의의 두 원소 x_1, x_2에 대하여 $x_1\neq x_2$이면 일 때, 함수 f를 일대일 함수라고 한다. 특히 함수 $f:X\to Y$에서 (i) 치역과 공역이 같고 (ii) 함수 f가 일대일 함수일 때, 이 함수 f를 일대일 대응이라고 한다.

[라] 처음 몇 개의 항과 이웃하는 여러 항 사이의 관계식으로 수열을 정의하는 것을 수열의 귀납적 정의라 한다.
모든 자연수 n에 대하여 명제 $p(n)$이 성립함을 증명 하려면 다음 두 가지를 증명하면 된다.
1. $n=1$일 때, 명제 $p(n)$이 성립한다.
2. $n=k$일 때, 명제 $p(n)$이 성립한다고 가정하면 $n=k+1$일 때도 명제 이 성립한다.

[마] 수열의 극한에 대한 기본 성질
수열 $\{a_n\}$, $\{b_n\}$이 모두 수렴하고 $\lim\limits_{n\to\infty}a_n=\alpha$, $\lim\limits_{n\to\infty}b_n=\beta$일 때

(1) $\lim\limits_{n\to\infty}ca_n=c\lim\limits_{n\to\infty}a_n=c\alpha$ (c는 상수)

(2) $\lim\limits_{n\to\infty}(a_n+b_n)=\lim\limits_{n\to\infty}a_n+\lim\limits_{n\to\infty}b_n=\alpha+\beta$

(3) $\lim\limits_{n\to\infty}(a_n-b_n)=\lim\limits_{n\to\infty}a_n-\lim\limits_{n\to\infty}b_n=\alpha-\beta$

$$(4)\ \lim_{n\to\infty} a_n b_n = \lim_{n\to\infty} a_n \lim_{n\to\infty} b_n = \alpha\beta$$

$$(5)\ \lim_{n\to\infty} \frac{a_n}{b_n} = \frac{\displaystyle\lim_{n\to\infty} a_n}{\displaystyle\lim_{n\to\infty} b_n} = \frac{\alpha}{\beta} \quad (b_n \neq 0,\ \beta \neq 0)$$

[논제 I-1] 실수의 부분집합 $A = \{a = y + x\sqrt{3} \mid x, y \text{는 정수}\}$에 포함되는 임의의 원소 a, b에 대하여 $a+b$와 ab도 A에 포함되며 A의 각 원소 $a = y + x\sqrt{3}$에 대하여 $\bar{a} = y - x\sqrt{3}$이라 정의하면 $\bar{a}$도 A에 포함된다. A의 임의의 원소 a와 $b = z + w\sqrt{3}$에 대하여 $\overline{(\bar{a})} = a$, $\overline{a+b} = \bar{a} + \bar{b}$, $\overline{a-b} = \bar{a} - \bar{b}$, $\overline{ab} = \bar{a}\,\bar{b}$임을 논술하시오.

[논제 I-2] 쌍곡선 $y^2 - 3x^2 = 1$의 그래프 위의 점들 중 정수좌표를 가지는 점들의 집합을 $L = \{(x, y) \mid y^2 - 3x^2 = 1, x, y \text{는 정수}\}$이라 하고, [논제 I-1]에서 정의한 집합 A의 원소 a 중 $a\bar{a} = 1$을 만족하는 원소들로 이루어진 A의 부분집합을 $B = \{a \mid a \in A, a\bar{a} = 1\}$라 하자.

1) $f((x,y)) = y + x\sqrt{3}$으로 정의된 함수 $f : L \to B$가 L과 B 사이의 일대일 대응 임을 논술하시오.

2) B의 임의의 원소 $a = y + x\sqrt{3}$, $b = z + w\sqrt{3}$와 에 대하여 $\bar{a}$, ab도 B에 포함됨을 보이시오. 또한 임의의 자연수 n에 대하여 a^n도 B에 포함됨을 논술하시오.

3) $2 + \sqrt{3}$은 B에 포함되고, [논제 I-2]의 (2)에 의하면, 임의의 자연수 n에 대하여 $(2 + \sqrt{3})^n$도 B에 포함된다. 따라서 $y_n + x_n\sqrt{3} = (2 + \sqrt{3})^n$이라 정의하면 (x_n, y_n)은 쌍곡선 $y^2 - 3x^2 = 1$의 그래프 위의 제1사분면에 위치한 자연수 좌표점이다. 각 자연수 n에 대하여 $a_n = \dfrac{y_n}{x_n}$이라 정의한 수열 $\{a_n\}$이 수렴할 때, 수렴 값 $\displaystyle\lim_{n\to\infty} a_n = \alpha$를 구하고 이를 쌍곡선의 점근선과 관련지어 논술하시오.

18. 2019학년도 경희대 오프라인 모의 논술

※ 다음의 제시문을 읽고 질문에 답하시오.

[가]

 점 $P(x_1, y_1)$에서 직선 $ax + by + c = 0$까지의 거리는 직선 위의 점에서 P까지의 거리 중 가장 작은 값으로서 그 값은 P에서 직선에 내린 수선의 발을 $Q(x_2, y_2)$라고 할 때, 두 점 P와 Q 사이의 거리이다. 점 P를 지나고 직선에 수직인 직선의 방정식은 $b(x + x_1) - a(y - y_1) = 0$으로 나타낼 수 있고, $Q(x_2, y_2)$는 두 직선 위에 동시에 있으므로 두 일차 방정식을 연립하여 풀어 x_2와 y_2를 구할 수 있다. 이렇게 구한 $Q(x_2, y_2)$에 대하여 P와 Q 사이의 거리 $d = \sqrt{(x_2 - x_1)^2 + (y_2 - y_1)^2}$를 정리하면 $d = \dfrac{|ax_1 + by_1 + c|}{\sqrt{a^2 + b^2}}$으로 표현할 수 있다.

[나]

 원뿔은 직각삼각형을 빗변이 아닌 한 변을 중심으로 회전하여 얻는 도형이다. 원뿔의 전개도는 밑면인 원과 옆면인 부채꼴로 이루어지므로 밑면의 반지름이 r이고 모선의 길이가 l인 원뿔의 겉넓이 S는 $S = \pi r^2 + \pi r l$로 나타낼 수 있다.

 다각형인 면으로만 둘러싸인 입체도형을 다면체라고 하고 특히 밑면이 다각형이고 옆면이 모두 삼각형인 다면체를 각뿔이라고 한다. 각뿔의 겉넓이도 전개도를 이용하여 밑면 다각형의 넓이와 옆면을 이루는 삼각형들의 넓이의 합으로 구할 수 있다.

 일반적으로 밑면의 넓이가 S이고 높이가 h인 원뿔과 각뿔의 부피 V는 $V = \dfrac{1}{3}Sh$이다.

[다]

 함수 $f(x)$를 $x = a$포함하는 어떤 열린 구간의 모든 x에 대하여 $f(x) \le f(a)$이면, $f(x)$는 $x = a$에서 극대라고 하고 $f(a)$를 극댓값이라고 한다. 유사하게, 함수 $f(x)$를 $x = b$포함하는 어떤 열린 구간의 모든 x에 대하여 $f(x) \ge f(b)$이면, $f(x)$는 $x = b$에서 극소라고 하고 $f(b)$를 극솟값이라고 한다. 극댓값과 극솟값을 통틀어 극값이라고 하며, $f(x)$가 $x = b$에서 미분가능하고 극값을 가지면 $f'(a) = 0$임을 보일 수 있다. 특히 $x = a$의 좌우에서 $f'(x)$의 부호 변화를 관찰하면 $f(a)$가 극댓값인지 극솟값인지를 판별할 수 있다.

 닫힌 구간 $[a, b]$에서 연속인 함수 $f(x)$는 항상 최댓값과 최솟값을 가진다. 특히 $f(x)$가 열린 구간 (a, b)에서 미분가능한 경우, 최댓값과 최솟값은 $f(x)$의 구간 끝점에서의 값과 극값의 크기를 비교하여 구할 수 있다.

(1) 밑면의 반지름이 r이고 높이가 h인 원뿔 A가 있다. 원뿔 A를 포함하는 원뿔 B는 그 밑면의 중심이 A의 꼭짓점과 일치하고, 두 원뿔의 밑면은 서로 평행하다. 이러한 원

뿔 B 중에서 부피가 가장 작은 것의 밑면 반지름 u, 높이 v, 그리고 부피 V를 구하시오.

(2) 반지름 r의 구를 원뿔 C가 포함하고 있다. 이러한 원뿔 C 중에서 겉넓이가 가장 작은 것의 밑면 반지름 u, 높이 v, 그리고 겉넓이 V를 구하시오.

(3) (2)번에서 구한 원뿔 C와 닮은 원뿔 D는 C의 내부에 있고 구의 내부와 겹치지 않으면서 그 밑면이 C의 밑면에 포함된다. 이러한 원뿔 D 중에서 가장 큰 것의 부피 V를 구하시오.

(4) 반지름 r의 구를 밑면이 정 n각형인 ($n \geq 3$) 각뿔 E가 포함하고 있다. 이러한 각뿔 중에서 겉넓이가 가장 작은 것에 대하여 그 정 n각형 한 변의 길이 a, 각뿔의 높이 v, 그리고 겉넓이 S를 구하시오. (단, 각뿔의 꼭짓점에서 밑면에 내린 수선의 발은 정 n각형의 중심에 있다.)

19. 2018학년도 경희대 수시 논술 [토요일]

※ 다음을 읽고 물음에 답하시오.

[가] 함수 $f(x)$가 어떤 구간의 임의의 x_1, x_2에 대하여 $x_1 < x_2$일 때 $f(x_1) < f(x_2)$이면 $f(x)$는 그 구간에서 증가한다고 한다. 한편 $x_1 < x_2$일 때 $f(x_1) > f(x_2)$이면 $f(x)$는 그 구간에서 감소한다고 한다. $f(x)$가 어떤 열린 구간에서 미분이 가능하고, 이 구간의 모든 x에 대하여
① $f'(x) > 0$이면 $f(x)$는 이 구간에서 증가한다.
② $f'(x) < 0$이면 $f(x)$는 이 구간에서 감소한다.

[나] 함수 $f(x)$가 구간 $[a, b]$에서 연속이면, 이 구간에서 $f(x)$는 최댓값과 최솟값을 가진다. 구간 $[a, b]$에서 연속인 함수 $f(x)$의 최댓값과 최솟값을 구할 때에는 그 구간에서의 극댓값과 극솟값 및 양 끝 값 중에서 가장 큰 값과 가장 작은 값을 택하면 된다. 특히 $f(x)$가 구간 (a, b)에서 미분 가능할 때에는 구간 (a, b)에서 $f'(x) = 0$의 근의 함숫값 및 구간의 양 끝점에서의 함숫값 $f(a)$, $f(b)$ 중에서 가장 큰 값과 가장 작은 값을 택하면 된다.

[다] 일반적으로 삼각함수의 도함수는 다음과 같다.

$$(\sin x)' = \cos x, \quad (\cos x)' = -\sin x, \quad (\tan x)' = \sec^2 x,$$
$$(\csc x)' = -\csc x \cot x, \quad (\sec x)' = \sec x \tan x \quad (\cot x)' = -\csc^2 x$$

[라] 각 θ의 값을 가로축에, 그에 대응하는 $\tan\theta$의 값을 세로축에 나타내어 함수 $y = \tan\theta$의 그래프를 그리면 다음과 같다.

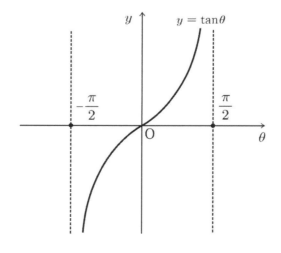

[논제 I] 제시문 [가]~[라]를 읽고 다음 질문에 답하시오.

<그림 1>에서 점 O에서 만나는 두 직선 l과 m이 이루는 각의 크기는 $\frac{\pi}{3}$이고, 점 P_0, A_0는 각각 O로부터의 거리가 1인 직선 l, m 위의 점이다. 그러면 부채꼴 OA_0P_0는 반지름의 길이가 1이고 중심각의 크기가 $\frac{\pi}{3}$이다. 부채꼴의 호 A_0P_0 위의 한 점 P_1을 지나고 l과 평행한 직선이 m과 만나는 점을 O_1이라 하고 각 A_0OP_1의 크기를 $\theta \left(0 < \theta < \frac{\pi}{3}\right)$라 하자. 그리고 중심이 O_1이고 반지름의 길이가 선분 O_1P_1의 길이와 같은 원이 m과 만나는 두 점 중 O로부터 거리가 더 먼 점을 A_1이라 하자.

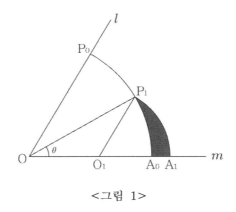

<그림 1>

[논제 I-1]
(1) 선분 OA_1의 길이를 θ의 함수 $f(\theta)$로 나타내고, 그 과정을 서술하시오.

(2) $f(\theta)$가 최댓값을 가질 때의 θ의 값을 α라 하자. α의 값을 구하고, 그 근거를 논술하시오.

[논제 I-2] <그림 1>에서 두 호 A_0P_1, A_1P_1과 선분 A_0A_1에 의해 둘러싸인 도형의 넓이를 θ의 함수 $g(\theta)$로 나타내고, 그 과정을 서술하시오.

[논제 I-3] [논제 I-2]에서 구한 $g(\theta)$가 최댓값을 가질 때의 θ의 값을 β라 하자. $\tan \beta$를 구하고, 그 근거를 논술하시오.

[논제 I-4] [논제 I-1]의 (2)에서 구한 α와 [논제 I-3]의 β의 크기를 비교하고, 그 근거를 논술하시오.

20. 2018학년도 경희대 수시 논술 [일요일]

※ 다음을 읽고 물음에 답하시오.

[가] 이차함수 $y = ax^2 + bx + c$는 완전제곱식을 이용하여 $y = a(x-p)^2 + q$ 의 꼴로 나타낼 수 있으므로 이차함수의 최댓값과 최솟값에 대하여 다음을 알 수 있다.

이차함수 $y = a(x-p)^2 + q$는

① $a > 0$이면 $x = p$일 때 최솟값 q를 가진다.
② $a < 0$이면 $x = p$일 때 최댓값 q를 가진다.

[나] 두 함수 $f(x)$, $g(x)$가 미분가능할 때 다음 성질이 성립한다.
① $\{cf(x)\}' = cf'(x)$ (단, c는 상수)
② $\{f(x) + g(x)\}' = f'(x) + g'(x)$
③ $\{f(x) - g(x)\}' = f'(x) - g'(x)$
④ $\{f(x)g(x)\}' = f'(x)g(x) + f(x)g'(x)$

[다] 호도법을 이용하여 부채꼴의 호의 길이와 넓이를 구하여 보자.

반지름의 길이가 r, 중심각의 크기가 θ(라디안)인 부채꼴에서 호의 길이를 l이라고 하면 호의 길이는 중심각의 크기에 정비례하므로 $l : 2\pi r = \theta : 2\pi$, 즉 $l = r\theta$이다. 또 부채꼴의 넓이를 S라고 하면 부채꼴의 넓이도 중심각의 크기에 정비례하므로 $S : \pi r^2 = \theta : 2\pi$, 즉 $S = \dfrac{1}{2}r^2\theta = \dfrac{1}{2}rl$이다.

[라] 최대·최소 정리에 의하여 함수 $f(x)$가 구간 $[a, b]$에서 연속이면 함수 $f(x)$는 이 구간에서 반드시 최댓값과 최솟값을 가진다. 특히 함수 $f(x)$의 극값과 구간 $[a, b]$에서 양 끝점의 함숫값 $f(a)$, $f(b)$를 이용하면 함수 $f(x)$의 최댓값과 최솟값을 구할 수 있다. 즉, 극댓값, $f(a)$, $f(b)$ 중에서 가장 큰 값이 최댓값이고, 극솟값, $f(a)$, $f(b)$ 중에서 가장 작은 값이 최솟값이다.

[논제 I] 제시문 [가]~[라]를 읽고 다음 질문에 답하시오.

[논제 I-1] <그림 1>에서 사각형 ABCD는 정사각형이고, 사각형 AEFG는 마름모이다. 여기서 선분 PQ의 길이는 1, 선분 PA의 길이는 x이다. (단, $0 < x < 1$)

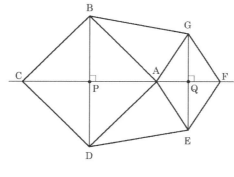

<그림 1>

(1) 선분 QG의 길이가 $1-x$일 때, 육각형 BCDEFG의 넓이를 x의 함수 $S_1(x)$로 나타내고, $S_1(x)$가 최소가 되는 x의 값을 구하시오. 그리고 그 근거를 논술하시오.

(2) 선분 QG의 길이가 $ax+b$ (a, b는 양의 상수)일 때, 육각형 BCDEFG의 넓이를 x의 함수 $S_2(x)$라 하자. $0<x<1$인 모든 x에 대하여 $S_2(x)=k$가 되는 두 상수 a, b의 값과 그때의 k의 값을 구하고, 그 과정을 서술하시오. (단, k는 양의 상수)

[논제 I-2] <그림 2>에서 두 원 O_1과 O_2는 서로 외접하고 중심 사이의 거리가 1이다. 점 A, B, C, D는 두 원의 공통접선과의 접점이다. 각 AO_1O_2의 크기는 θ이다. 부채꼴 O_1CA(색칠된 부분)의 호, 선분 AB, 부채꼴 O_2BD(색칠된 부분)의 호, 선분 DC로 둘러싸인 도형의 둘레의 길이를 l, 넓이를 S라고 하자. (단, $\dfrac{\pi}{6} \le \theta \le \dfrac{2\pi}{3}$)

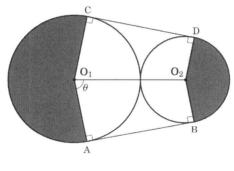

<그림 2>

(1) l을 θ의 함수 $l(\theta)$로 나타내고, $l(\theta)$의 최댓값을 구하시오. 그리고 그 근거를 논술하시오.

(2) S를 θ의 함수 $S(\theta)$로 나타내고, $S(\theta)$의 최솟값을 구하시오. 그리고 그 근거를 논술하시오.

V. 예시 답안

1. 2024학년도 경희대 수시 논술

[논제 Ⅰ] 좌표평면 위의 원점 $O(0, 0)$과 두 점 $P_1(8, 0)$, $Q_1(0, 4)$에 대하여 다음 물음에 답하시오.

(1) 선분 P_1Q_1의 수직이등분선이 쌍곡선 $x^2 - y^2 = b$와 접한다고 한다. 이때 b의 값을 구하고, 그 근거를 논술하시오. (12점)

(2) 두 점 P_1, Q_1에 대하여 직각삼각형 OP_1Q_1을 만든다. 선분 P_1Q_1의 수직이등분선이 x축, y축과 만나는 두 점을 각각 P_2, Q_2라 하고 직각삼각형 OP_2Q_2를 만든다. 선분 P_2Q_2의 수직이등분선이 x축, y축과 만나는 두 점을 각각 P_3, Q_3라 하고 직각삼각형 OP_3Q_3를 만든다. 선분 P_3Q_3의 수직이등분선이 x축, y축과 만나는 두 점을 각각 P_4, Q_4라 하고 직각삼각형 OP_4Q_4를 만든다. 이와 같은 과정을 계속하여 직각삼각형 OP_5Q_5, OP_6Q_6, OP_7Q_7, $\cdots$을 만든다. 이때, 빗변의 중점이 제 1사분면에 있는 직각삼각형들의 넓이의 합을 A_1, 빗변의 중점이 제 2사분면에 있는 직각삼각형들의 넓이의 합을 A_2, 빗변의 중점이 제 3사분면에 있는 직각삼각형들의 넓이의 합을 A_3, 빗변의 중점이 제 4사분면에 있는 직각삼각형들의 넓이의 합을 A_4라 하자. 다음 명제의 참, 거짓을 판별하고, 그 근거를 논술하시오. (18점)

> 명제 : A_1은 $A_2 + A_3 + A_4$보다 크다.

[논제 Ⅱ] 동전 한 개를 반복하여 19번 던졌을 때, 앞면이 16번, 뒷면이 3번 나왔다고 한다. 다음 물음에 답하시오.

(1) 뒷면이 연속해서 나오지 않는 경우의 수를 구하고, 그 근거를 논술하시오. (12점)
(2) 앞면은 항상 두 번 이상 연속해서 나오고 뒷면은 연속해서 나오지 않는 경우의 수를 구하고, 그 근거를 논술하시오. (21점)

[논제 Ⅲ] 구 $x^2 + y^2 + (z-1)^2 = 1$위에 두 점 $A(0, 0, 2)$, $P(a, a, b)$가 있다. xy평면 위의 점 Q에 대하여 점 P가 선분 AQ를 $1:4$로 내분할 때, 다음 물음에 답하시오. (단, a, b는 양수이다.)

(1) 점 P와 점 Q의 좌표를 구하고, 그 근거를 논술하시오. (10점)

(2) 점 A와 점 P가 아닌 구 위의 점 R에 대하여 삼각형 ARQ의 xy평면 위로의 정사영을 F라 하고 삼각형 ARQ와 xy평면이 이루는 각의 크기를 θ라 하자. F의 넓이가 최대가 될 때, 삼각형 ARQ의 세 변의 길이와 $\cos\theta$의 값을 구하고, 그 근거를 논술하시오. (27점)

[논제 Ⅰ]

(1) 선분 P_1Q_1의 수직이등분선을 m이라 하자. 선분 P_1Q_1의 중점의 좌표는 $(4,\ 2)$이고 직선 P_1Q_1의 기울기가 $-\dfrac{1}{2}$이므로 m의 기울기는 2이다. 따라서 직선 m의 방정식은 $y=2x-6$이다. 한편 쌍곡선 $x^2-y^2=b$와 직선 m이 접하려면 이차방정식 $x^2-(2x-6)^2=b$, 즉 $3x^2-24x+36+b=0$의 판별식이 0이어야 한다. 따라서 $\dfrac{D}{4}=12^2-3\times(36+b)=0$이므로 $b=12$이다.

(2) P_n과 Q_n을 지나는 직선을 l_n이라 하자. 직선 l_2는 (1)에서 구한 직선 m이고 x축과 $P_2(3,\ 0)$, y축과 $Q_2(0,\ -6)$에서 만난다. 직선 l_3는 선분 P_2Q_2의 수직이등분선이므로 점 $\left(\dfrac{3}{2},\ -3\right)$을 지나고 기울기는 $-\dfrac{1}{2}$이다. 따라서 직선 l_3의 방정식은 $y=-\dfrac{1}{2}x-\dfrac{9}{4}$이고 x축과 $P_3\left(-\dfrac{9}{2},\ 0\right)$, y축과 $Q_3\left(0,\ -\dfrac{9}{4}\right)$에서 만난다.

이제 직각삼각형 OP_nQ_n의 넓이를 S_n이라 하면 $S_1=16$, $S_2=9$, $S_3=\dfrac{81}{16}$이다. 직각삼각형 OP_nQ_n들은 모두 서로 닮음이고, 연속하여 만들어지는 직각삼각형의 닮음비는 $\dfrac{3}{4}$이므로 넓이의 비는 $\left(\dfrac{3}{4}\right)^2=\dfrac{9}{16}$이다. 따라서 S_4는 $\dfrac{729}{256}$이다. A_1은 첫째항이 $S_1=16$이고 공비가 $\left(\dfrac{9}{16}\right)^4$인 등비급수의 합이다. 마찬가지로 A_4는 첫째항이 $S_2=9$이고 공비가 $\left(\dfrac{9}{16}\right)^4$인 등비급수의 합, A_3은 첫째항이 $S_3=\dfrac{81}{16}$이고 공비가 $\left(\dfrac{9}{16}\right)^4$인 등비급수의 합, A_2은 첫째항이 $S_4=\dfrac{729}{256}$이고 공비가 $\left(\dfrac{9}{16}\right)^4$인 등비급수의 합이다. 따라서 A_1과 $A_2+A_3+A_4$의 대소 관계를 비교하기 위해, S_1과 $S_2+S_3+S_4$의 대소 관계를 비교하면,

$$S_1=16<9+\frac{81}{16}+\frac{729}{256}=S_2+S_3+S_4$$

따라서 $A_1<A_2+A_3+A_4$이고 주어진 명제는 거짓이다.

[논제 Ⅱ]

(1) 앞면을 H, 뒷면을 T라고 하자. 아래와 같이 앞면이 나온 동전 16개를 먼저 배열하고

첫 번째 H의 앞, 이웃한 두 H의 사이, 16번째 H의 뒤에 17개의 O표시를 하자.

$$O H O H \cdots O H O$$

뒷면이 연속해서 나오지 않으려면 T는 O자리에 하나씩만 나올 수 있으므로 뒷면이 연속해서 나오지 않는 경우의 수는 $_{17}C_3 = 680$이다.

(2) 첫 번째 뒷면이 나오기 전에 나온 앞면의 수를 x_1, 첫 번째 뒷면과 두 번째 뒷면 사이에 나온 앞면의 수를 x_2, 두 번째 뒷면과 세 번째 뒷면 사이에 나온 앞면의 수를 x_3, 세 번째 뒷면 후에 나온 앞면의 수를 x_4라 하면 $x_1 + x_2 + x_3 + x_4 = 16$이고,

$$x_1 \ \text{T} x_2 \ \text{T} x_3 \ \text{T} x_4$$

앞면이 항상 연속해서 두 번 이상 나오면서 뒷면이 연속해서 나오지 않으려면 $x_2 \geq 2$, $x_3 \geq 2$이어야 하고, $j = 1$, 4에 대하여 $x_j \neq 0$이면 $x_j \geq 2$이어야 한다. 따라서 다음 네 가지 경우가 가능하다.

(i) $x_1 = 0$, $x_2, x_3, x_4 \geq 2$

(ii) $x_4 = 0$, $x_1, x_2, x_3 \geq 2$

(iii) $x_1 = x_4 = 0$, $x_2, x_3 \geq 2$

(iv) $x_1, x_2, x_3, x_4 \geq 2$

(i) $x_1 = 0$, $x_2, x_3, x_4 \geq 2$인 경우

$x_2 = y_2 + 2$, $x_3 = y_3 + 2$, $x_4 = y_4 + 2$라고 하면 $y_2 + y_3 + y_4 = 10$을 만족하는 음이 아닌 정수해의 개수를 구하면 된다. 따라서 $_3H_{10} = {}_{12}C_{10} = 66$이다.

(ii) $x_4 = 0$, $x_1, x_2, x_3 \geq 2$인 경우

(i)과 같은 방법으로 구하면 66이다.

(iii) $x_1 = x_4 = 0$, $x_2, x_3 \geq 2$인 경우

$x_2 = y_2 + 2$, $x_3 = y_3 + 2$라고 하면 $y_2 + y_3 = 12$를 만족하는 음이 아닌 정수해의 개수를 구하면 된다. 따라서 $_2H_{12} = {}_{13}C_{12} = 13$이다.

(iv) $x_1, x_2, x_3, x_4 \geq 2$인 경우

$x_1 = y_1 + 2$, $x_2 = y_2 + 2$, $x_3 = y_3 + 2$, $x_4 = y_4 + 2$라고 하면 $y_1 + y_2 + y_3 + y_4 = 8$을 만족하는 음이 아닌 정수해의 개수를 구하면 된다. 따라서 $_4H_8 = {}_{11}C_8 = 165$이다.

(i)-(iv)에 의하여 앞면은 두 번 이상 연속해서 나오고 뒷면은 연속해서 나오지 않는 경우의 수는 $66 + 66 + 13 + 165 = 310$이다.

논제 [III]

(1) 점 Q의 좌표를 $(x_1, y_1, 0)$이라 두면 점 P는 선분 AQ를 $1:4$로 내분하는 점이므로

$$P\left(\frac{1\times x_1+4\times 0}{5},\ \frac{1\times y_1+4\times 0}{5},\ \frac{1\times 0+4\times 2}{5}\right)=\left(\frac{x_1}{5},\ \frac{y_1}{5},\ \frac{8}{5}\right)$$

점 P의 좌표는 $(a,\ a,\ b)$이므로, $x_1=y_1=5a$이고 $b=\dfrac{8}{5}$이다.

한편 점 P는 구 위의 점이므로 $a^2+a^2+(b-1)^2=1$이고 이를 풀면, $a=\dfrac{2\sqrt{2}}{5}$, $x_1=y_1=2\sqrt{2}$가 된다. 따라서 점 P의 좌표와 점 Q의 좌표는 각각 $\left(\dfrac{2\sqrt{2}}{5},\ \dfrac{2\sqrt{2}}{5},\ \dfrac{8}{5}\right)$, $(2\sqrt{2},\ 2\sqrt{2},\ 0)$이다.

(2) 아래 그림과 같이 구 위의 점 R에서 xy평면에 내린 수선의 발을 R′이라 하면,

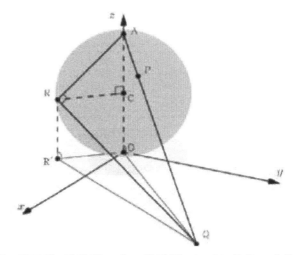

삼각형 ARQ의 xy평면 위로의 정사영 F는 삼각형 OR′Q이다. 이때, F의 넓이가 최대가 되려면 점 R′은 원 $x^2+y^2=1$ 위에 있는 점들 중 선분 OR′이 선분 OQ와 수직인 점이며, 점 R의 z좌표는 1이어야 한다. (그림에서와는 달리 반대편에도 R이 위치 할 수 있다.) 또한 $\overline{R'Q}=\sqrt{17}$ 이 된다. 점 R에서 z축에 내린 수선의 발을 C라 하면,

$$\overline{AQ}=\sqrt{\overline{AO}^2+\overline{OQ}^2}=2\sqrt{5},\ \overline{AR}=\sqrt{\overline{AC}^2+\overline{CR}^2}=\sqrt{2},\ \overline{RQ}=\sqrt{\overline{RR'}^2+\overline{R'Q}^2}=3\sqrt{2}$$

이때 $\overline{AQ}^2=\overline{AR}^2+\overline{RQ}^2$이므로 삼각형 ARQ는 직각삼각형이고, 넓이는 $\dfrac{1}{2}\overline{AR}\times\overline{RQ}=3$이다. 한편 삼각형 ARQ의 xy평면 위로의 정사영의 넓이는 삼각형 OR′Q의 넓이 $\dfrac{1}{2}\overline{OQ}\times\overline{OR'}=2$이다. 따라서 $\cos\theta=\dfrac{\varDelta\,OR'Q}{\varDelta\,ARQ}=\dfrac{2}{3}$이다.

2. 2024학년도 경희대 모의 논술

[논제 I] [배점 30점]

상자 안에 총 60개의 공이 들어있다. 그 중 $n\,(1\le n<60)$개의 공은 흰색이고 나머지는

공은 모두 검은색이다. 경희는 상자 안에 있는 공을 하나 임의로 꺼내어 색을 확인하고 다시 상자에 공을 집어넣는 것을 3번 반복한다. 경희는 흰색 공을 꺼낼 때마다 100원을 얻고, 검은색 공을 꺼낼 때마다 100원을 잃는다. 경희는 공을 꺼내기 전에 300원을 가지고 있다고 한다.

(1) 3번째 공을 꺼내고 난 후, 경희가 400원을 가지고 있을 사건을 A, 1번째 공을 꺼내고 난 후, 경희가 400원을 가지고 있을 사건을 B라고 하자. 조건부 확률 $P(B|A)$를 구하고, 그 근거를 논술하시오. (10점)

(2) 3번째 공을 꺼내고 난 후 경희가 가지고 있는 금액을 X라고 하자. X의 기댓값이 200원일 때, n의 값을 구하고, 그 근거를 논술하시오. (20점)

[논제 II] [배점 33점]

(1) 다음 부정적분 $\int x\sin x\,dx$과 $\int x\cos x\,dx$를 구하시오. (8점)

(2) 위의 결과를 이용하여, $\int x^2\sin x\,dx$의 부정적분을 구하고, 이 부정적분 중 닫힌구간 $[0, 2\pi]$에서 x축과 만나지 않는 함수들을 증가와 감소의 표를 이용하여 모두 구하시오. (25점)

[논제 III] [배점 37점]

쌍곡선 $\dfrac{x^2}{a^2}-\dfrac{y^2}{b^2}=1$위에 한 점 P$(p, q)$와 두 초점 F$=(c, 0)$, F$'=(-c, 0)$이 있다. (단, $p, q>0$이고 $a>b>0$이다)

① 삼각형 PFF$'$의 외접원의 중심을 A(k, l)라고 할 때, A의 y좌표 l이 양수인 q의 범위를 구하시오. (7점)

② $\angle$PF$'$F$=\alpha$, $\angle$F$'$PF$=\beta$라 할 때, 극한값 $\displaystyle\lim_{q\to\infty}\cos(2\alpha+\beta)$를 $t=\dfrac{a}{b}$에 대한 함수 $f(t)$로 나타내고, 부정적분 $\int tf(t)dt$을 구하시오. (30점)

> ## [논제 I]
> **(1) 경희가 상자에서 흰 공을 꺼낼 확률을 p라고 하면 $p=\dfrac{n}{60}$이다.**
>
> $$P(A)=p\times p\times(1-p)+p\times(1-p)\times p+(1-p)\times p\times p=3p^2(1-p)$$

$$P(A \cap B) = p \times p \times (1-p) + p \times (1-p) \times p = 2p^2(1-p)$$

따라서, 조건부 확률에 정의로부터 $P(B|A) = \dfrac{2}{3}$

(2) (1)과 비슷하게 3번째 공을 뽑고 난 후,

$X = 600$원일 확률은 p^3

$X = 400$원일 확률은 $3p^2(1-p)$

$X = 200$원일 확률은 $3p(1-p)^2$

$X = 0$ 원일 확률은 $(1-p)^3$

따라서, 기댓값의 정의로부터

$$E[X] = 600 \times p^3 + 400 \times 3p^2(1-p) + 200 \times 3p(1-p) + 0 \times (1-p)^3 = 200.$$

$$\text{즉, } 6p^3 + 12p^2(1-p) + 6p(1-p) - 2 = 0.$$

이 방정식을 풀면 $p = \dfrac{1}{3}$. 따라서 $n = 20$이다.

[논제 Ⅱ]

(1) 부분적분법을 이용하면,

$$\int x \sin x \, dx = x(-\cos x) - \int (-\cos x)\,dx = -x\cos x + \sin x + C$$

$$\int x \cos x \, dx = x \sin x - \int \sin x \, dx = x \sin x + \cos x + C$$

(2) $f(x) = x \sin x$라 두고, 이 함수의 부정적분 중 하나를 $F(x) = -x\cos x + \sin x$라 하면, $F'(x) = f(x)$이다. 이를 이용하면, 다음과 같이 부분적분법으로 계산할 수 있다.

$$\int x^2 \sin x \, dx = \int x f(x) \, dx = \int x F'(x)\,dx = xF(x) - \int F(x)\,dx$$

위에서 $F(x)$의 부정적분은 $x \cos x$의 부정적분의 결과를 이용하여,

$$\int F(x)\,dx = \int -x\cos x + \sin x \, dx = -x\sin x - \cos x - \cos x + C$$

이다. 따라서,

$$\int x^2 \sin x \, dx = (2 - x^2)\cos x + 2x \sin x + C$$

위의 함수를 $G(x) = (2 - x^2)\cos x + 2x \sin x + C$라 두고 이 중에서 닫힌구간 $[0, 2\pi]$에서 x축과 만나지 않는 함수들을 구하기 위하여, 함수의 그래프의 개형을 증가와 감소의 표를 이용하여 구해보면,

x	0		π		2π
$G'(x)$	0	$+$	0	$-$	0
$G(x)$	$2 + C$	$\nearrow$	$(\pi^2 - 2) + C$	$\searrow$	$(2 - 4\pi^2) + C$

함수의 그래프가 닫힌구간 $[0, 2\pi]$에서 x축과 만나지 않기 위해서는 최댓값과 최솟값의 부호가 같아야 한다. 따라서 $(\pi^2 - 2 + C)(2 - 4\pi^2 + C) > 0$인 다음 부정적분 함수들에 대하여 x축과 만나지 않는다.

$$G(x) = (2-x^2)\cos x + 2x\sin x + C, \quad C < 2-\pi^2 \quad \text{혹은} \quad C > 4\pi^2 - 2.$$

[논제 Ⅲ]

(1) 삼각형 PF'F의 외접원의 중심 A는 점 F와 점 F'에서 부터의 거리가 같아야 하므로, 선분 F'F의 수직이등분선, 즉 y축 위에 있어야 한다. 따라서 $k=0$이고, A$(0,\ l)$로 둘 수 있다. 한편, $\overline{AF} = \overline{AP}$이므로,

$$\sqrt{c^2 + l^2} = \sqrt{(l-q)^2 + p^2}$$

이다. 이를 풀면, $l = \dfrac{p^2 + q^2 - c^2}{2q} = \dfrac{\dfrac{a^2}{b^2}q^2 + a^2 + q^2 - c^2}{2q} = \dfrac{c^2 q^2 - b^4}{2b^2 q}$가 된다.

따라서, $q>0$이므로, A의 y좌표 l이 양수이기 위한 q의 조건은 $q > \dfrac{b^2}{c}$가 된다.

(2) q가 양의 무한대로 발산하는 극한을 구해야 하므로, 일반성을 잃지 않고, $q > \dfrac{b^2}{c}$인 경우를 생각해도 충분하다. 이때, 원점을 O라 하면, 원주각과 중심각의 성질에 의해 $\angle FAO = \beta$, $\angle PAF = 2\alpha$이므로 $\angle PAO = 2\alpha + \beta$가 된다. 따라서, 구하고자 하는 극한은

$$\lim_{y\to\infty} \cos(\angle PAO)$$

이다. 그런데, 점 P의 y좌표와 점 A의 y좌표의 차이를 계산해보면,

$$q - \frac{c^2 q^2 - b^4}{2b^2 q} = \frac{(b^2 - a^2)q^2 + b^4}{2b^2 q}$$

이다. 따라서, 주어진 조건대로 $a > b > 0$이면, $q > \dfrac{b^2}{\sqrt{a^2 - b^2}}$일 때 A의 y좌표가 P의 y좌표보다 크다. 따라서, 충분히 큰 q에 대해 $\angle PAO$는 예각이다. 따라서 이 경우에는

$$\cos(2\alpha + \beta) = \frac{\text{A의 } y\text{좌표} - \text{P의 } y\text{좌표}}{\overline{AP}}$$

이므로,

$$\cos(2\alpha + \beta) = \frac{\dfrac{(a^2 - b^2)q^2 - b^4}{2b^2 q}}{\sqrt{p^2 + \left(\dfrac{(b^2 - a^2)q^2 + b^4}{2b^2 q}\right)^2}} = \frac{\dfrac{(a^2 - b^2)q^2 - b^4}{2b^2 q}}{\sqrt{\dfrac{a^2}{b^2}q^2 + a^2 + \left(\dfrac{(b^2 - a^2)q^2 + b^4}{2b^2 q}\right)^2}}$$

이다. 따라서 $\displaystyle\lim_{q\to\infty}\cos(2\alpha + \beta) = \dfrac{a^2 - b^2}{a^2 + b^2} = \dfrac{\dfrac{a^2}{b^2} - 1}{\dfrac{a^2}{b^2} + 1}$이고,

$$f(t) = \frac{t^2 - 1}{t^2 + 1}$$

이다. 그러므로, 구하고자 하는 부정적분은

$$\int t f(t) dt = \int t \frac{t^2 - 1}{t^2 + 1} dt = \int t \left(1 - \frac{2}{t^2 + 1}\right) dt = \frac{t^2}{2} - \log(1 + t^2) + C$$

이다.

3. 2023학년도 경희대 수시 논술 (토요일)

[논제 I] $a > b > 0$인 두 상수 a, b에 대하여 타원 $\frac{x^2}{a^2} + \frac{y^2}{b^2} = 1$의 두 초점을 F, F′이라 하자.

(1) $k > a$인 상수 k에 대하여 점 A$(k, 0)$에서 타원에 그은 접선 중 접점의 y좌표가 양수인 접선을 l이라 할 때, 그 접점을 P라고 하자. 이때 P의 좌표를 a, b, k를 이용하여 나타내고, 그 근거를 논술하시오. (15점)

(2) (1)에서 $a = 5$, $b = 4$, $k = 13$이라고 하자. 접점 P를 지나고 접선 l에 수직인 직선 l'이 x축과 만나는 점을 Q라고 하자. 이때 $\frac{\overline{PF}}{\overline{QF}} + \frac{\overline{PF'}}{\overline{QF'}}$의 값을 구하여 기약분수로 나타내고, 그 근거를 논술하시오. (15점)

---

(1) 접점 P의 좌표를 (x_1, y_1)이라고 한다면, 점 P에서의 접선 l의 방정식은 $\frac{x_1 x}{a^2} + \frac{y_1 y}{b^2} = 1$이다. 이 직선이 A$(k, 0)$을 지나므로, $x_1 = \frac{a^2}{k}$이다. 또한, P가 타원 위의 점이므로, $\frac{x_1^2}{a^2} + \frac{y_1^2}{b^2} = 1$이다. 한편, y_1은 양수이므로, $y_1 = \sqrt{b^2 - \frac{a^2 b^2}{k^2}} = b\sqrt{1 - \frac{a^2}{k^2}}$이다. 따라서 접점 P의 좌표는

$$\left(\frac{a^2}{k}, \ b\sqrt{1 - \frac{a^2}{k^2}}\right)$$

이다.

(2) $a = 5$, $b = 4$, $k = 13$일 때, $x_1 = \frac{25}{13}$, $y_1 = \frac{48}{13}$이다. 따라서 접선 l의 기울기는 $-\frac{b^2 x_1}{a^2 y_1} = -\frac{1}{3}$이다. 그러므로 직선 l'은 기울기가 3이며 점 P$\left(\frac{25}{13}, \frac{48}{13}\right)$을 지나는 직선이고, 이 직선의 방정식은 $y = 3x - \frac{27}{13}$이다. 따라서 점 Q의 좌표는 $\left(\frac{9}{13}, 0\right)$이다.

한편, 두 초점 F_1, F_2의 좌표를 각각 $(-c, 0)$, $(c, 0)$이라 하면, (단 $c > 0$ $c = \sqrt{5^2 - 4^2} = 3$이므로, $F_1(-3, 0)$, $F_2(3, 0)$이다. 그러므로 각 선분의 길이는

$$\overline{PF_1} = \sqrt{\frac{64^2 + 48^2}{13^2}} = \frac{80}{13}, \qquad \overline{PF_2} = \sqrt{\frac{14^2 + 48^2}{13^2}} = \frac{50}{13},$$

$$\overline{QF_1} = \frac{9}{13} + 3 = \frac{48}{13}, \qquad \overline{QF_2} = 3 - \frac{9}{13} = \frac{30}{13}$$

이다. 따라서 $\dfrac{\overline{PF_1}}{\overline{QF_1}} + \dfrac{\overline{PF_2}}{\overline{QF_2}} = \dfrac{\frac{80}{13}}{\frac{48}{13}} + \dfrac{\frac{50}{13}}{\frac{30}{13}} = \dfrac{5}{3} + \dfrac{5}{3} = \dfrac{10}{3}$ **이다.**

[논제 II] 네 점 A(1, 1), B(3, 1), C(3, 3), D(1, 3)을 꼭짓점으로 하는 정사각형 ABCD가 있다. 한 변의 길이가 2이고, 모든 변이 x축 또는 y축과 평행한 정사각형 PQRS의 두 대각선의 교점 M(x, y)의 위치는 $x = t$, $y = -t^2 + 3t$이다.

이때 $0 < t < 3$에서 두 정사각형이 겹치는 부분의 넓이를 $f(t)$라고 하자. (단, $f(0) = f(3) = 0$)

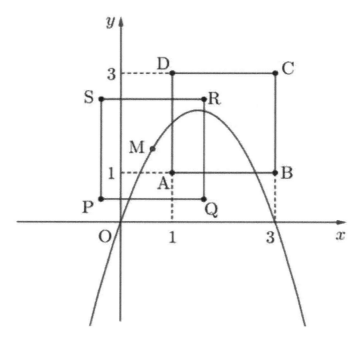

(1) 함수 $f(t)$를 구하고, 함수 $g(t) = \begin{cases} 2t & (t < 2) \\ 12 - 4t & (t \geq 2) \end{cases}$ 에 대하여 $\displaystyle\int_0^3 |f(t) - g(t)| dt$의 값을 구하고, 그 근거를 논술하시오. (18점)

(2) 상수 a에 대하여 곡선 $y = f(t)(1 \leq t \leq 2)$, 직선 $y = f(a)$및 두 직선 $t = 1$, $t = 2$로 둘러싸인 부분의 넓이를 $S(a)$라고 하자. $1 < a < 2$일 때 $S(a)$가 최소가 되는 a의 값을 구하고, 그 근거를 논술하시오. (15점)

① $0 < t < 3$이면 두 정사각형이 겹치는 부분은 t의 값에 따라 다른 크기의 직사각형이 된다. 따라서 각 경우에 대하여 직사각형의 두 변의 길이를 구하면 된다.

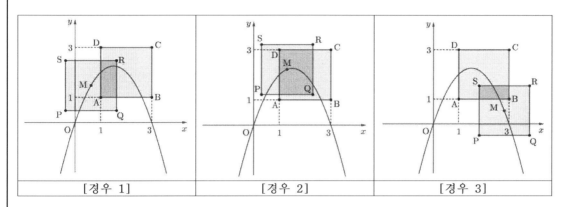

[경우 1]	[경우 2]	[경우 3]

문제에서 주어진 정사각형의 꼭짓점의 좌표는 A(1, 1), B(3, 1), C(3, 3), D(1, 3)이고, 중심이 $\left(t, -t^2 + 3t\right)$인 정사각형의 꼭짓점의 좌표는

$$P\left(t-1, -t^2 + 3t - 1\right), \ Q\left(t+1, -t^2 + 3t - 1\right), \ R\left(t+1, -t^2 + 3t + 1\right),$$
$$S\left(t-1, -t^2 + 3t + 1\right)$$

이 된다.

[경우 1]] $0 < t < 1$이면 겹치는 부분은 두 변의 길이가 t와 $-t^2 + 3t$인 직사각형이므로 넓이 $f(t)$는 $f(t) = t\left(-t^2 + 3t\right) = -t^3 + 3t^2$이다.

[경우 2] $1 \le t < 2$이면 겹치는 부분은 두 변의 길이가 t와 $3 - \left(-t^2 + 3t - 1\right)$인 직사각형이므로 넓이 $f(t)$는 $f(t) = t\left(t^2 - 3t + 4\right) = t^3 - 3t^2 + 4t$이다.

[경우 3] $2 \le t < 3$이면 겹치는 부분은 두 변의 길이가 $3 - (t-1)$과 $\left(-t^2 + 3t + 1\right) - 1$인 직사각형이므로 넓이 $f(t)$는 $f(t) = (-t + 4)\left(-t^2 + 3t\right) = t^3 - 7t^2 + 12t$이다.

따라서 $f(t)$는 다음과 같다.

$$f(t) = \begin{cases} -t^3 + 3t^2 & (0 \le t < 1) \\ t^3 - 3t^2 + 4t & (1 \le t < 2) \\ t^3 - 7t^2 + 12t & (2 \le t \le 3) \end{cases}$$

[경우 1] $0 \le t < 1$이면 $f(t) = -t^3 + 3t^2$이고 $g(t) = 2t$이므로

$$f(t) - g(t) = \left(-t^3 + 3t^2\right) - 2t = -\left(t^3 - 3t^2 + 2t\right) = -t(t-1)(t-2) \le 0$$이다.

[경우 2] $1 \le t < 2$이면 $f(t) = t^3 - 3t^2 + 4t$이고 $g(t) = 2t$이므로

$$f(t) - g(t) = \left(t^3 - 3t^2 + 4t\right) - 2t = t^3 - 3t^2 + 2t = t(t-1)(t-2) \le 0$$이다.

[경우 3] $2 \le t \le 3$이면 $f(t) = t^3 - 7t^2 + 12t$이고 $g(t) = -4t + 12$이므로

$$f(t) - g(t) = \left(t^3 - 7t^2 + 12t\right) - (-4t + 12) = t^3 - 7t^2 + 16t - 12 = (t-2)^2(t-3) \le 0$$이다.

모든 $0 \leq t \leq 3$에 대하여 $f(t) - g(t) \leq 0$이므로 $\int_0^3 |f(t) - g(t)| dt = \int_0^3 \{g(t) - f(t)\} dt$가 되어

$$\int_0^3 |f(t) - g(t)| dt = \int_0^1 (t^3 - 3t^2 + 2t) dt + \int_1^2 (-t^3 + 3t^2 - 2t) dt + \int_2^3 (-t^3 + 7t^2 - 16t + 12) dt$$

이다. 이때

$$\int_0^1 (t^3 - 3t^2 + 2t) dt = \frac{1}{4}, \quad \int_1^2 (-t^3 + 3t^2 - 2t) dt = \frac{1}{4}, \quad \int_2^3 (-t^3 + 7t^2 - 16t + 12) dt = \frac{1}{12}$$

이다. 따라서

$$\int_0^3 |f(t) - g(t)| dt = \frac{1}{4} + \frac{1}{4} + \frac{1}{12} = \frac{7}{12}$$

이다.

(2) $1 < t < 2$에서 $f'(t) = 3t^2 - 6t + 4 = 3(t-1)^2 + 1 > 0$이므로 $f'(t) > 0$이다. 그러므로 $f(t)$는 $1 \leq t \leq 2$에서 증가한다. 따라서

$$S(a) = (a-1)f(a) - \int_1^a f(x) dx + \int_a^2 f(x) dx - (2-a)f(a)$$

$$= (2a-3)f(a) - \int_1^a f(x) dx - \int_2^a f(x) dx$$

가 된다. 이때 $S'(a) = 2f(a) + (2a-3)f'(a) - f(a) - f(a) = (2a-3)f'(a)$이다.

한편 $1 < a < 2$에서 $f'(a) > 0$이므로 $S'(a) = 0$인 a는 $\frac{3}{2}$뿐이다. 또한 $1 < a < \frac{3}{2}$에서 $S'(a) < 0$이고 $\frac{3}{2} < a < 2$에서 $S'(a) > 0$이므로 $S(a)$는 $a = \frac{3}{2}$에서 최솟값을 갖는다.

[논제 Ⅲ] 어느 불꽃놀이에서 불꽃을 쏘아 올리면 불꽃이 지면에서 출발한다. 이 불꽃은 지면에서 수직 방향으로 20 m를 이동한 후 네 갈래 또는 여섯 갈래로 갈라지면서 이동한다. 이 갈라지는 지점을 '첫 번째 분기점'이라고 한다. 첫 번째 분기점에서 갈라진 불꽃들은 각각 10 m씩 이동하여 다시 네 갈래 또는 여섯 갈래로 갈라지면서 이동한다. 두 번째 갈라지는 지점을 '두 번째 분기점'이라고 한다. 두 번째 분기점들에서 갈라진 불꽃들은 각각 $2t$ m씩 이동한 후 사라진다. (단, $0 < t < \frac{5}{2}$)

<그림 1>은 첫 번째 분기점에서 네 갈래로 갈라지고 두 번째 분기점에서 각각 4, 6, 4, 6갈래로 갈라진 경우의 예시이다.

<그림 2>는 점선을 따라 이동한 불꽃이 분기점에서 네 갈래 또는 여섯 갈래로 갈라지는 모양을 나타낸 것이다. 점선의 화살표 방향을 따라 이동한 불꽃은 <그림 2>와 같은 각도로만 갈라진다.

다음 조건을 만족할 때 아래 물음에 답하시오.

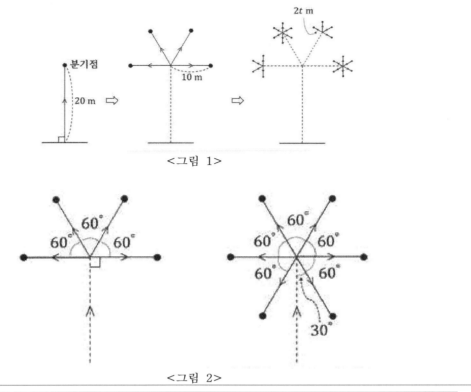

<그림 1>

<그림 2>

(가) 각 분기점에서 불꽃이 갈라지는 시행은 독립시행이다.

(나) 각 분기점에서 불꽃이 네 갈래로 갈라질 확률은 $\dfrac{1}{2}$이다.

(다) 불꽃은 한 평면 위에서 움직인다.

(라) 불꽃은 동일한 속력으로 움직이고, 직선으로 이동한다. (단, 분기점은 제외한다.)

(1) 두 번째 분기점에서 생기는 불꽃의 개수를 확률변수 X라고 하자. $22 \le X \le 26$인 사건 A가 일어났을 때, 첫 번째 분기점에서 불꽃이 여섯 갈래로 갈라진 사건 B의 조건부확률 $\mathrm{P}(B|A)$를 구하고, 그 근거를 논술하시오. (18점)

(2) <그림 3>과 같이 모든 분기점에서 불꽃이 여섯 갈래로 갈라진 경우를 생각하자. 36개로 갈라진 불꽃의 마지막 위치를 점으로 나타낼 때, 이 점들 사이의 거리의 **최솟값**을 $f(t)$라고 하자. $0 < t < \dfrac{5}{2}$일 때, 함수 $y = f(t)$가 미분가능하지 않은 t의 값을 구하고, 그 근거를 논술하시오. (19점)

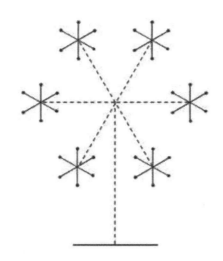

(1)

$X = 22$인 경우: 첫 번째 분기점에서 네 갈래, 두 번째 분기점에서 4, 6, 6, 6갈래로 갈라지는 경우의 확률은

$$\frac{1}{2} \times {}_4\mathrm{C}_1 \left(\frac{1}{2}\right)^4 = \frac{1}{8}$$

$X = 24$인 경우:

(i) 첫 번째 분기점에서 네 갈래, 두 번째 분기점에서 6, 6, 6, 6갈래로 갈라지는 경우의 확률은

$$\frac{1}{2} \times \left(\frac{1}{2}\right)^4 = \frac{1}{32}$$

(ii) 첫 번째 분기점에서 여섯 갈래, 두 번째 분기점에서 4, 4, 4, 4, 4, 4갈래로 갈라지는 경우의 확률은

$$\frac{1}{2} \times \left(\frac{1}{2}\right)^6 = \frac{1}{128}$$

$X = 26$인 경우: 첫 번째 분기점에서 여섯 갈래, 두 번째 분기점에서 4, 4, 4, 4, 4, 6갈래로 갈라지는 경우의 확률은

$$\frac{1}{2} \times {}_6\mathrm{C}_1 \left(\frac{1}{2}\right)^6 = \frac{3}{64}$$

따라서

$$\mathrm{P}(A \cap B) = \frac{1}{128} + \frac{3}{64} = \frac{7}{128} \text{ 이고}$$

$$\mathrm{P}(A) = \frac{1}{8} + \frac{1}{32} + \frac{1}{128} + \frac{3}{64} = \frac{27}{128}$$

이므로

$$\mathrm{P}(B|A) = \frac{7}{27}$$

② 한 분기점에서 갈라지는 두 점 사이의 최소 거리는 $2t$이고,

서로 다른 분기점에서 갈라지는 두 점 사이의 최소 거리는 $10-2\sqrt{3}\,t$이다.

$2t \leq 10-2\sqrt{3}\,t$이면 $2(\sqrt{3}+1)t \leq 10$이므로 $t \leq \dfrac{5}{\sqrt{3}+1} = \dfrac{5(\sqrt{3}-1)}{2}$이다.

또한 $2t > 10-2\sqrt{3}\,t$**이면** $t > \dfrac{5(\sqrt{3}-1)}{2}$**이다.**

$t_0 = \dfrac{5(\sqrt{3}-1)}{2}$ **라고 하면** $f(t) = \begin{cases} 2t & (0 < t \leq t_0) \\ 10-2\sqrt{3}\,t & \left(t_0 < t < \dfrac{5}{2}\right) \end{cases}$ **이다.**

따라서 $\displaystyle\lim_{t \to t_0-} \dfrac{f(t)-f(t_0)}{t-t_0} = 2$, $\displaystyle\lim_{t \to t_0+} \dfrac{f(t)-f(t_0)}{t-t_0} = -2\sqrt{3}$ **이므로** $f'(t_0)$**가 존재하지 않는다.**

즉, 함수 $f(t)$**는** $t = t_0 = \dfrac{5(\sqrt{3}-1)}{2}$ **에서 미분가능하지 않다.**

4. 2023학년도 경희대 수시 논술 (일요일)

[논제 I] 곡선 $y = x^2$위를 움직이는 점 A(x, y)의 시각 t에서의 위치가 $x = t$, $y = t^2$이다. 이 점 A에서 곡선 $y = x^2$에 접하는 접선을 l_1이라 하고, 직선 l_1과 수직이고 곡선 $y = x^2$에 접하는 접선을 l_2라고 하자. 접선 l_2와 곡선 $y = x^2$이 만나는 점을 B라 하고, 원점을 O라고 하자. 다음 물음에 답하시오. (단, $t > 0$)

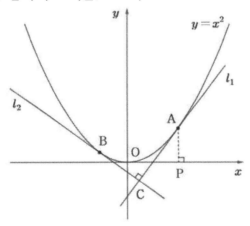

① 두 접선 l_1과 l_2의 교점을 C라고 하자. 시각 $t = 1$에서 $t = 2$까지 점 C가 움직인 거리 s를 구하고, 그 근거를 논술하시오. (15점)

② 점 A에서 x축에 내린 수선의 발을 P라고 하자. 시각 t에서 두 삼각형 AOP와 ABC의 넓이의 비를 $S(t) = \dfrac{\triangle ABC}{\triangle AOP}$라고 할 때, $\displaystyle\lim_{t \to \infty} S(t)$를 구하고, 그 근거를 논술하시오. (15점)

(1)

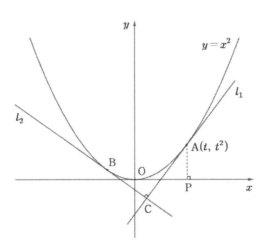

    곡선 $y=x^2$ 위의 점 $(a,\ a^2)$에서 접하는 접선의 기울기는 $2a$이다. 점 $A(t,\ t^2)$에서 곡선 $y=x^2$에 접하는 접선의 방정식은 $l_1 : y=2tx-t^2$이다. 접선 l_1과 수직인 직선의 기울기는 $-\dfrac{1}{2t}$이고, 접선의 기울기가 $-\dfrac{1}{2t}$가 되는 곡선 $y=x^2$ 위의 점은 $B\left(-\dfrac{1}{4t},\ \dfrac{1}{16t^2}\right)$이다.

따라서 접선 l_2의 방정식은 $l_2 : y=-\dfrac{1}{2t}x-\dfrac{1}{16t^2}$이다. 접선 l_1과 접선 l_2의 교점은 $C\left(\dfrac{t}{2}-\dfrac{1}{8t},\ -\dfrac{1}{4}\right)$이고, 점 $C(x,\ y)$의 시각 t에서의 위치는 $x(t)=\dfrac{t}{2}-\dfrac{1}{8t}$, $y(t)=-\dfrac{1}{4}$이다.

시각 $t=1$에서 $t=2$까지 점 C가 움직인 거리 s는

$$s=\int_1^2 \sqrt{(x'(t))^2+(y'(t))^2}\,dt=\int_1^2\left(\dfrac{1}{2}+\dfrac{1}{8t^2}\right)dt=\dfrac{9}{16}$$

이다.

(2) 삼각형 AOP의 넓이는 $\dfrac{1}{2}t^3$이다. 삼각형 ABC의 넓이를 구하기 위해 선분 AC와 선분 BC의 길이를 알아야 한다. 점 B와 점 C의 좌표는 $B\left(-\dfrac{1}{4t},\ \dfrac{1}{16t^2}\right)$, $C\left(\dfrac{t}{2}-\dfrac{1}{8t},\ -\dfrac{1}{4}\right)$이므로,

선분 AC의 길이는 $\overline{AC}=\sqrt{t^4+\dfrac{3}{4}t^2+\dfrac{3}{16}+\dfrac{1}{64t^2}}$ 이고,

선분 BC의 길이는 $\overline{BC}=\sqrt{\dfrac{t^2}{4}+\dfrac{3}{16}+\dfrac{3}{64t^2}+\dfrac{1}{256t^4}}$ 이다.

따라서 삼각형 ABC의 넓이는

$$\triangle ABC=\dfrac{1}{2}\sqrt{t^4+\dfrac{3}{4}t^2+\dfrac{3}{16}+\dfrac{1}{64t^2}}\sqrt{\dfrac{t^2}{4}+\dfrac{3}{16}+\dfrac{3}{64t^2}+\dfrac{1}{256t^4}}$$

이다. 넓이의 비는

$$S(t) = \dfrac{\dfrac{1}{2}\sqrt{t^4 + \dfrac{3}{4}t^2 + \dfrac{3}{16} + \dfrac{1}{64t^2}}\sqrt{\dfrac{t^2}{4} + \dfrac{3}{16} + \dfrac{3}{64t^2} + \dfrac{1}{256t^4}}}{\dfrac{1}{2}t^2 \times t}$$

$$= \sqrt{1 + \dfrac{3}{4t^2} + \dfrac{3}{16t^4} + \dfrac{1}{64t^6}}\sqrt{\dfrac{1}{4} + \dfrac{3}{16t^2} + \dfrac{3}{64t^4} + \dfrac{1}{256t^6}}$$

이다. 이때 $\displaystyle\lim_{t \to \infty}\dfrac{1}{t} = 0$**이므로** $\displaystyle\lim_{t \to \infty}\dfrac{1}{t^2} = \lim_{t \to \infty}\dfrac{1}{t^4} = \lim_{t \to \infty}\dfrac{1}{t^6} = 0$**이고, 따라서 넓이의 비의**

극한은 $\displaystyle\lim_{t \to \infty} S(t) = \dfrac{1}{2}$**이다.**

[논제 Ⅱ] 함수 $f(x) = -x + \dfrac{1}{x^2}$, $g(x) = -x^2 + k + \dfrac{1}{x}$에 대하여 다음 물음에 답하시오.
(단, $x > 0$, k는 상수이다.)

(1) 구간 $(0, \infty)$에서 함수 $y = x + \dfrac{1}{x}$의 증가와 감소를 표로 나타내시오. 이 결과를 이용하여 상수 k가 양수일 때 두 함수 $y = f(x)$와 $y = g(x)$의 그래프가 서로 다른 두 점에서 만남을 보이고, 그 근거를 논술하시오. (단, $\displaystyle\lim_{x \to 0^+}\left(x + \dfrac{1}{x}\right) = \infty$, $\displaystyle\lim_{x \to \infty}\left(x + \dfrac{1}{x}\right) = \infty$) (18점)

(2) (1)에서 두 교점의 x좌표를 각각 α와 β라 할 때, $(\alpha - \beta)^2$을 k에 대한 식으로 나타내고, 그 식을 $S(k)$라 하자. 닫힌구간 $[4, 10]$의 임의의 점 x에서 x축에 수직인 평면으로 자른 단면의 넓이가 $6S(x)$인 입체도형의 부피를 구하고, 그 근거를 논술하시오. (15점)

① 먼저 구간 $(0, \infty)$에서 함수 $y = x + \dfrac{1}{x}$의 증가와 감소의 표는 함수의 미분 $y' = \dfrac{(x+1)(x-1)}{x^2}$을 이용하여 다 음과 같이 구할 수 있다.

x	0	$\cdots$	1	$\cdots$
y'		$-$	0	$+$
y		$\searrow$	2	$\nearrow$

$h(x) = f(x) - g(x) = x^2 + \dfrac{1}{x^2} - x - \dfrac{1}{x} - k$라고 두면

두 그래프 $y = f(x)$와 $y = g(x)$의 교점의 x좌표는 $h(x) = 0$의 실근이다.

$t = x + \dfrac{1}{x}$이라고 두면 $t \geq 2$이고 $t^2 - t - 2 - k = 0$이다.

k가 양수일 때, $t^2 - t - 2 - k = 0$은 2보다 큰 실근 $\dfrac{1 + \sqrt{4k+9}}{2}$을 한 개만 가진다. 이 실

근을 $t_0 = \dfrac{1+\sqrt{4k+9}}{2}$ 라고 두면 $t = x + \dfrac{1}{x}$이므로 $h(x) = 0$의 실근 x는 $x + \dfrac{1}{x} = t_0$의 실근

이다. $x + \dfrac{1}{x} = t_0$의 실근은 두 그래프 $y = x + \dfrac{1}{x}$와 $y = t_0$의 교점의 x좌표이다.

함수 $y = x + \dfrac{1}{x}$의 증가와 감소의 표를 이용하면, 이 함수의 그래프의 개형으로부터

$t_0 > 2$일 때 $y = x + \dfrac{1}{x}$과 $y = t_0$는 $x > 0$구간에서 서로 다른 2개의 점에서 만난다.

따라서 $h(x) = 0$은 서로 다른 두 개의 실근을 가지고,

두 함수의 그래프 $y = f(x)$와 $y = g(x)$는 서로 다른 2개의 점에서 만난다.

(2) α와 β는 $x + \dfrac{1}{x} = t_0$즉 $x^2 - t_0 x + 1 = 0$의 두 근이므로 $\alpha + \beta = t_0$이고 $\alpha\beta = 1$이다.

$t_0 = \dfrac{1+\sqrt{4k+9}}{2}$를 대입하여 계산하면

$(\alpha - \beta)^2 = (\alpha + \beta)^2 - 4\alpha\beta = k - \dfrac{3}{2} + \dfrac{1}{2}\sqrt{4k+9}$이다

이를 이용하면 $S(x) = x - \dfrac{3}{2} + \dfrac{1}{2}\sqrt{4x+9}$이므로, 입체의 부피는 다음과 같다.

$$\int_4^{10} 6S(x)dx = \int_4^{10} 6\left(x - \dfrac{3}{2} + \dfrac{1}{2}\sqrt{4x+9}\right)dx = \left[3x^2 - 9x + \dfrac{1}{2}(4x+9)^{\frac{3}{2}}\right]_4^{10} = 307$$

[논제 III] 아래 그림과 같이 운동장 안에 $(n+1)$개의 연결된 방이 있다. 모든 $i = 1, 2, \cdots, n$에 대하여 방 i에는 두 개의 출구가 있어서, 그 중 하나만 방 $(i+1)$과 연결되어 있고 다른 하나는 운동장으로 나오는 출구이다. 방 $(n+1)$에는 운동장으로 나오는 출구만 있다.

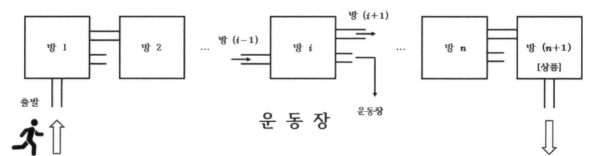

각각 1, 2, $\cdots$, n번 조끼를 입은 학생들이 운동장에 모여 있고 아래와 같은 규칙으로 방을 통과하는 게임에 참여한다.

(가) 1번 조끼를 입은 학생부터 조끼 번호의 오름차순으로 한 명씩 방 1로 들어간다.
(나) 모든 $i = 1, 2, \cdots, n$에 대하여 방 i에 처음으로 도착한 학생은 두 개의 출구 중 하나를 선택한다. 이때 다음 방으로 연결된 출구를 선택하면 이 학생은 다음 방으로 가고, 그렇지 않으면 운동장으로 나온다. 방 $(n+1)$에 도착한 모든 학생은 상품을 받고 출구를 통해 운동장으로 나온다. (단, 지나온 길을 되돌아가지는 않는다.)

(다) 먼저 출발한 학생이 운동장으로 나오면, 그 다음 학생은 방 1로 들어간다. 먼저 출발한 학생이 방 i의 출구 ($i = 1, 2, \cdots, n$)에서 운동장으로 나오면, 그 다음에 출발하는 학생은 방 1부터 연결된 출구들을 통해 방 ($i+1$)로 간다. 먼저 출발한 학생이 방 ($n+1$)에서 나오면, 그 다음 학생은 항상 방 ($n+1$)까지 간다.

(라) n번 조끼를 입은 학생이 방 1로 들어가서, 운동장으로 다시 나오면 게임은 끝난다.

모든 $i = 1, 2, \cdots, n$에 대하여 방 i의 두 개의 출구 중에서 운동장으로 나오는 출구를 선택할 확률은 $\dfrac{1}{2}$이며, 각각의 선택은 독립이라고 할 때, 다음 물음에 답하시오.

(1) $n = 7$이라고 하자. 6번 조끼를 입은 학생이 상품을 받을 때, 3번 조끼를 입은 학생이 상품을 받지 못하였을 확률을 구하고, 그 근거를 논술하시오. (17점)

(2) $n = 400$일 때 상품을 받은 학생이 190명 이상일 사건을 A라 하고, $n = 72$일 때 상품을 받은 학생이 k명 이상일 사건을 B라고 하자. 이때, $\mathrm{P}(A) \leq \mathrm{P}(B)$를 만족하는 자연수 k의 최댓값을 구하고, 그 근거를 논술하시오. (20점)

---

(1) 6번 조끼를 입은 학생이 상품을 받은 사건을 C, 3번 조끼를 입은 학생이 상품을 받지 못하였을 사건을 D라 하자. 6번 조끼를 입은 학생이 상품을 받는 경우는, 상품을 받지 못한 학생의 수가 0, 1, 2, 3, 4, 5명 일 때이다. 3번 조끼를 입은 학생이 상품을 받지 못하는 경우는, 상품을 받지 못한 학생의 수가 3, 4, 5, 6, 7명 일 때이다.

따라서, 사건 C의 확률은 두 개의 출구 중 하나의 출구를 선택하는 시행에서 이를 7회 반복할 때, 운동장으로 나 오는 출구를 0, 1, 2, 3, 4, 5개 선택하는 경우의 확률과 같다. 사건 $C \cap D$의 확률은 두 개의 출구 중 하나의 출구를 선택하는 시행에서 이를 7회 반복할 때, 운동장으로 나오는 출구를 3, 4, 5개 선택하는 경우의 확률과 같다.

제시문 [바]에 의하여 $p = \dfrac{1}{2}$이므로 사건 C의 확률은

$$_7C_0 \times \left(\dfrac{1}{2}\right)^7 + {_7C_1} \times \left(\dfrac{1}{2}\right)^7 + {_7C_2} \times \left(\dfrac{1}{2}\right)^7 + {_7C_3} \times \left(\dfrac{1}{2}\right)^7 + {_7C_4} \times \left(\dfrac{1}{2}\right)^7 + {_7C_5} \times \left(\dfrac{1}{2}\right)^7 = \dfrac{120}{128}$$

이고, $C \cap D$의 확률은

$$_7C_3 \times \left(\dfrac{1}{2}\right)^7 + {_7C_4} \times \left(\dfrac{1}{2}\right)^7 + {_7C_5} \times \left(\dfrac{1}{2}\right)^7 = \dfrac{91}{128}$$

따라서, 6번 조끼를 입은 학생이 상품을 받을 때, 3번 조끼를 입은 학생이 상품을 받지 못하였을 확률을 조건부 확률의 정의를 이용하여 계산하면 $\dfrac{91}{120}$이다.

(2) 400명의 학생이 게임에 참가할 때, 상품을 받지 못한 학생 수를 확률변수 X_A라고 하면 X_A는 운동장으로 나가 는 출구를 선택한 횟수와 같다. 따라서, X_A는 이항분포 $\mathrm{B}\left(400, \dfrac{1}{2}\right)$을 따르므로 평균 m_A와 표준편차 σ_A는

$$m_A = 400 \times \frac{1}{2} = 200, \quad \sigma_A = \sqrt{400 \times \frac{1}{2} \times \frac{1}{2}} = 10$$

이때 학생의 수 400과 평균 200이 충분히 크므로 X_A는 정규분포 $N(200, 10^2)$을 따른다.

확률변수 $Z = \dfrac{X_A - 200}{10}$은 표준정규분포를 따르므로, 표준정규분포를 이용하여 $P(A)$를 구한다.

$$P(A) = P(X_A \leq 210) = P\left(Z \leq \frac{210 - 200}{10}\right) = P(Z \leq 1) \quad \cdots \quad ①$$

72명의 학생이 게임에 참가할 때, 상품을 받지 못한 학생 수를 확률변수 X_B라고 하면 X_B는 운동장으로 나가는 출구를 선택한 횟수와 같다. 따라서, X_B는 이항분포 $B\left(72, \dfrac{1}{2}\right)$을 따르므로 평균 m_B와 표준편차 σ_B는

$$m_B = 72 \times \frac{1}{2} = 36, \quad \sigma_A = \sqrt{72 \times \frac{1}{2} \times \frac{1}{2}} = \sqrt{18}$$

이때 학생의 수 72와 평균 36이 충분히 크므로 X_B는 정규분포 $N(36, 18)$을 따른다.

확률변수 $Z = \dfrac{X_B - 36}{\sqrt{18}}$은 표준정규분포를 따르므로, 표준정규분포를 이용하여 $P(B)$를 구한다.

$$P(B) = P(X_B \leq 72 - k) = P\left(Z \leq \frac{36 - k}{\sqrt{18}}\right) \quad \cdots \quad ②$$

①과 ②의 계산값에서 $1 \leq \dfrac{36 - k}{\sqrt{18}}$일 때만 $P(Z \leq 1) \leq P\left(Z \leq \dfrac{36 - k}{\sqrt{18}}\right)$이다. 따라서 $P(A) \leq P(B)$를 만족하는 가장 큰 자연수 k는 31이다.

5. 2023학년도 경희대 모의 논술

[논제 I] 양의 실수 a와 b에 대하여 함수 $f(x) = x(x+a)(x-b)$를 생각하자. 이때 곡선 $y = f(x)(-a \leq x \leq 0)$과 x축으로 둘러싸인 도형의 넓이를 A, 곡선 $y = f(x)(0 \leq x \leq b)$와 x축으로 둘러싸인 도형의 넓이를 B라 하자.

(1) 넓이 A와 B를 a와 b에 대한 식으로 표현하고, 그 근거를 논술하시오. (10점)
(2) 넓이 A와 B가 $B = 2A$를 만족한다고 하자. 이때 $a < b < 2a$임을 설명하고, 그 근거를 논술하시오. (20점)

> **(1) 정적분을 활용하여 넓이 A와 B를 다음과 같이 구할 수 있다.**
> $$A = \frac{a^3}{12}(a + 2b), \quad B = \frac{b^3}{12}(2a + b)$$
> **② 넓이 A와 B가 $B = 2A$를 만족하면 다음을 얻는다.**

$$b^3(2a+b)=2a^3(a+2b)$$

이를 다음과 같이 정리할 수 있다.

$$\left(\frac{b}{a}\right)^4+2\left(\frac{b}{a}\right)^3-4\left(\frac{b}{a}\right)-2=0$$

또는

$$2\left(\frac{a}{b}\right)^4+4\left(\frac{a}{b}\right)^3-2\left(\frac{a}{b}\right)-1=0$$

함수 $g(x)=x^4+2x^3-4x-2$를 생각하자. 그러면 $g(1)=-3<0$이고 $g(2)=22>0$이므로 사잇값 정리에 의해 $g(c)=0$인 c가 열린구간 $(1,\,2)$에 적어도 하나 존재한다. 따라서,

$$1<\frac{b}{a}<2$$

를 만족하는 a와 b가 존재한다. 다음으로,

$$\frac{b}{a}\geq 2$$

인 a와 b가 존재하는지 생각해 보자. 함수 $g(x)=x^4+2x^3-4x-2$의 도함수 $g'(x)=4x^3+6x^2-4$를 생각하자. 그러면, $g(2)=22>0$이고, $x\geq 2$에 대해서

$$g'(x)=4x^3+6x^2-4\geq 32+24-4=52>0$$

이므로, 함수 $g(x)=x^4+2x^3-4x-2$는 $x\geq 2$에서 x축과 만나지 않는다. 따라서, 방정식 $g(x)=0$은 $x\geq 2$에서 근을 가지지 않고, $\frac{b}{a}\geq 2$를 만족하는 a와 b는 존재하지 않는다. 다음으로,

$$\frac{a}{b}\geq 1$$

인 a와 b가 존재하는지 생각해 보자. 함수 $h(x)=2x^4+4x^3-2x-1$을 생각하고, 그것의 도함수 $h'(x)=8x^3+12x^2-2$를 생각하자. 그러면 $h(1)=3>0$이고, $x\geq 1$에 대해서

$$h'(x)=8x^3+12x^2-2\geq 8+12-2=18>0$$

이므로, 함수 $h(x)=2x^4+4x^3-2x-1$는 $x\geq 1$에서 x축과 만나지 않는다. 따라서 $h(x)=0$은 $x\geq 1$에서 근을 가지지 않고, $\frac{a}{b}\geq 1$을 만족하는 a와 b는 존재하지 않는다. 결국, 넓이 A와 B가 $B=2A$를 만족하면 $a<b<2a$이다.

[논제 II] 그림과 같이 직사각형 ABCD는 점 A와 C가 x축 위에 있고, 두 대각선의 교점이 원점에 있다. $\overline{AB}=2$, $\overline{BC}=2p$이고 $0<p<1$이다. 변 AB, CD와 y축의 교점을 각각 E, F라 하고, 변 AB, CD의 중점을 각각 M, N이라 하자. 다음 물음에 답하시오.

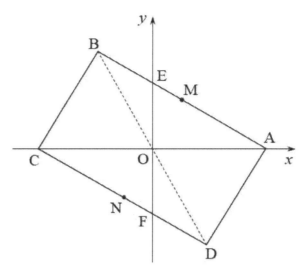

(1) 타원 $\dfrac{x^2}{a^2}+\dfrac{y^2}{b^2}=1(a>0,\ b>0)$이 점 A, E, C, F를 지날 때, 이 타원의 두 초점의 좌표를 p의 식으로 나타내고, 그 과정을 논술하시오. (15점)

(2) 타원 $\dfrac{x^2}{m^2}+\dfrac{y^2}{n^2}=1(m>0,\ n>0)$이 점 A, M, C, N을 지날 때, (1)의 b에 대하여 $n<b$임을 보이고, 그 근거를 논술하시오. (20점)

---

(1) 피타고라스 정리에 의하여 $\overline{\mathrm{AC}}=2\sqrt{1+p^2}$ 이므로, A의 좌표는 $\left(\sqrt{1+p^2},\ 0\right)$이다.

또한 삼각형 ABC와 삼각형 AOE가 닮았으므로 $\overline{\mathrm{AB}}:\overline{\mathrm{BC}}=\overline{\mathrm{AO}}:\overline{\mathrm{OE}}$이다.

$2:2p=\sqrt{1+p^2}:\overline{\mathrm{OE}}$ **에 의하여** $\overline{\mathrm{OE}}=p\sqrt{1+p^2}$ **이고, E의 좌표는** $\left(0,\ p\sqrt{1+p^2}\right)$**이다.**

$\dfrac{x^2}{a^2}+\dfrac{y^2}{b^2}=1$**에** $\left(\sqrt{1+p^2},\ 0\right)$**을 대입하면** $\dfrac{1+p^2}{a^2}=1$**이고,** $a^2=1+p^2$**이다.**

$\dfrac{x^2}{a^2}+\dfrac{y^2}{b^2}=1$**에** $\left(0,\ p\sqrt{1+p^2}\right)$**을 대입하면** $\dfrac{p^2\left(1+p^2\right)}{b^2}=1$**이고,** $b^2=p^2\left(1+p^2\right)$**이다.**

$0<p<1$**이므로** $a^2-b^2=1+p^2-p^2\left(1+p^2\right)=1-p^4>0$**이다.**

따라서 두 초점은 x축 위에 있고, 좌표는 $\left(\sqrt{1-p^4},\ 0\right)$, $\left(-\sqrt{1-p^4},\ 0\right)$이다.

(2)

점 B에서 x축에 내린 수선의 발을 H라 하자.

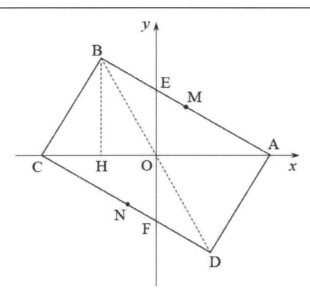

삼각형 ABC와 삼각형 AHB가 닮았으므로 $\overline{AC}:\overline{AB}=\overline{AB}:\overline{AH}$, $\overline{AC}:\overline{CB}=\overline{AB}:\overline{BH}$**이다.**

$\overline{AB}=2$, $\overline{BC}=2p$, $\overline{AC}=2\sqrt{1+p^2}$ **를 이용하면** $\overline{AH}=\dfrac{2}{\sqrt{1+p^2}}$, $\overline{BH}=\dfrac{2p}{\sqrt{1+p^2}}$**이다.**

따라서 B의 좌표는 $\left(\sqrt{1+p^2}-\dfrac{2}{\sqrt{1+p^2}},\ \dfrac{2p}{\sqrt{1+p^2}}\right)=\left(-\dfrac{1-p^2}{\sqrt{1+p^2}},\ \dfrac{2p}{\sqrt{1+p^2}}\right)$**이고,**

M의   좌표는 $\left(\dfrac{1}{2}\left(\sqrt{1+p^2}-\dfrac{1-p^2}{\sqrt{1+p^2}}\right),\ \dfrac{1}{2}\left(0+\dfrac{2p}{\sqrt{1+p^2}}\right)\right)=\left(\dfrac{p^2}{\sqrt{1+p^2}},\ \dfrac{p}{\sqrt{1+p^2}}\right)$

$\dfrac{x^2}{m^2}+\dfrac{y^2}{n^2}=1$**에** $\left(\sqrt{1+p^2},\ 0\right)$**을 대입하면** $\dfrac{1+p^2}{m^2}=1$**이고,** $m^2=1+p^2$**이다.**

$\dfrac{x^2}{m^2}+\dfrac{y^2}{n^2}=1$**에** $\left(\dfrac{p^2}{\sqrt{1+p^2}},\ \dfrac{p}{\sqrt{1+p^2}}\right)$**를 대입하고** $m^2=1+p^2$**을 이용하면**

$\dfrac{p^4}{(1+p^2)^2}+\dfrac{p^2}{n^2(1+p^2)}=1$**이고, 정리하면** $n^2=\dfrac{p^2(1+p^2)}{1+2p^2}$**이다.**

$b^2=p^2(1+p^2)$**이므로** $n^2=\dfrac{p^2(1+p^2)}{1+2p^2}=\dfrac{b^2}{1+2p^2}$**이고**

$0<p<1$**에 대하여** $\dfrac{1}{1+2p^2}<1$**이므로** $n^2<b^2$**이고, 따라서** $n<b$**이다.**

[논제 Ⅲ] 경희 금은방에서 현재 금 한 돈을 A_0만원의 가격에 판매하고 있다. 금 한 돈의 가격이 1년마다 변한다고 할 때, n년 후의 금 한 돈의 가격을 A_n만원이라 하자. A_n은 p의 확률로 uA_{n-1}이 되고 $q=1-p$의 확률로 dA_{n-1}이 된다고 하자. (단, n은 자연수, $0<d<1<u$). 다음 물음에 답하시오.

(1) $p = \dfrac{1}{3}$, $u = 2$, $d = \dfrac{1}{2}$, $A_0 = 20$이라 하자. 민국은 3년 후에 금 한 돈을 3년 동안 변한 금 한 돈의 가격 중에 가장 싼 값으로 구입하기로 경희 금은방과 약속하였다. 민국이 3년 후에 이 금 한 돈 거래를 통해 얻는 이익의 기댓값을 구하고, 그 근거를 논술하시오. (예를 들어, 금 한 돈의 가격이 3년 동안 $A_1 = 10$, $A_2 = 20$, $A_3 = 40$으로 변했다면 민국은 3년 후 40만원인 금 한 돈의 가격을 10만원으로 구입하여 30만원의 이익을 남긴다.) (15점)

(2) 민국은 1년 후에 금 한 돈의 가격 A_1만원이 A_0만원보다 비싼 경우에는 A_0만원의 가격으로 금 한 돈을 구입하고, A_0만원보다 싼 경우에는 금 한 돈을 구입하지 않기로 경희 금은방과 약속하였다. 민국이가 1년 후에 얻는 이익을 V_1이라고 하자. V_0을 V_1의 기댓값이라고 할 때, 상수 β가 A_1의 가격에 상관없이 $V_0 + \beta A_0 = V_1 + \beta A_1$을 만족한다. p와 β을 u와 d을 이용하여 나타내고, 그 근거를 논술하시오. (20점)

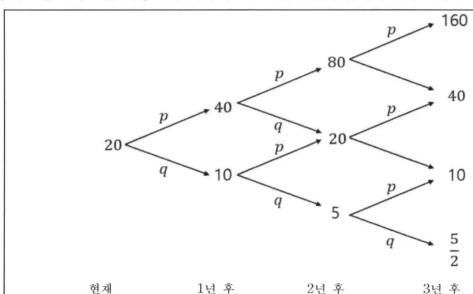

위의 그림으로부터 총 8가지의 경로가 있다. 아래표로 정리하면

가격 변화	최저가격	이익	확률
$20 \rightarrow 40 \rightarrow 80 \rightarrow 160$	20	140	1/27
$20 \rightarrow 40 \rightarrow 80 \rightarrow 40$	20	20	2/27
$20 \rightarrow 40 \rightarrow 20 \rightarrow 40$	20	20	2/27
$20 \rightarrow 40 \rightarrow 20 \rightarrow 10$	10	0	4/27
$20 \rightarrow 10 \rightarrow 20 \rightarrow 40$	10	30	2/27
$20 \rightarrow 10 \rightarrow 20 \rightarrow 10$	10	0	4/27
$20 \rightarrow 10 \rightarrow 5 \rightarrow 10$	5	5	4/27
$20 \rightarrow 10 \rightarrow 5 \rightarrow 5/2$	5/2	0	8/27

따라서 민국이가 3년 후에 얻는 이익의 기댓값은

$$140 \times \frac{1}{27} + 20 \times \frac{2}{27} + 20 \times \frac{2}{27} + 0 \times \frac{4}{27} + 30 \times \frac{2}{27} + 0 \times \frac{4}{27} + 5 \times \frac{4}{27} + 0 \times \frac{8}{27} = \frac{100}{9}$$

이다.

(2)

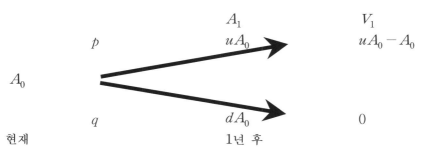

위에 그림으로부터 민국은 1년 후의 이익 V_1은 p의 확률로 $V_1 = uA_0 - A_0$이 되고, q의 확률로 $V_1 = 0$이 되므로 V_1의 기댓값 V_0은 다음과 같이 계산된다.

$$V_0 = p \times (uA_0 - A_0) + q \times 0 = pA_0(u-1)$$

상수 β에 대해 A_1의 가격과 상관없이 $V_0 + \beta A_0 = V_1 + \beta A_1$이 성립하므로 $A_1 = uA_0$, $A_1 = dA_0$일 때

대입하면 다음 두 식을 얻는다.

$$V_0 + \beta A_0 = A_0(u-1) + \beta u A_0$$
$$V_0 + \beta A_0 = 0 + \beta d A_0$$

$V_0 = pA_0(u-1)$을 위의 식에 대입하고, 연립 방정식을 풀면, $\beta = \dfrac{1-u}{u-d}$, $p = \dfrac{1-d}{u-d}$이다.

6. 2022학년도 경희대 수시 논술 (토요일)

[논제 I]

(1) 자연수 n에 대하여 점 $P_n(0, -n)$에서 곡선 $y = \ln x$에 그은 접선의 x절편을 b_n이라 할 때, $\displaystyle\lim_{n \to \infty} \frac{b_{n+1}}{b_n}$의 값을 구하고, 그 근거를 논술하시오.

(2) 좌표평면의 곡선 $y = \ln x$와 원점에서 이 곡선에 그은 접선 및 x축으로 둘러싸인 도형을 밑면으로 하는 입체도형이 있다. 이 입체도형을 x축에 수직인 평면으로 자른 단면이 모두 정삼각형일 때, 이 입체도형의 부피를 구하고, 그 근거를 논술하시오.

(1) $P_n(0, -n)$에서 곡선 $y = \ln x$에 그은 접선의 접점을 $(a, \ln a)$라 한다면 접선은 $y - \ln a = \dfrac{1}{a}(x - a)$이고 이 접선이 $(0, -n)$을 지나므로 $a = \dfrac{1}{e^{n-1}}$이다. 이 접선의 x절편은 $b_n = \dfrac{n}{e^{n-1}}$이다. 따라서 $\displaystyle\lim_{n \to \infty} \frac{b_{n+1}}{b_n} = \lim_{n \to \infty}\left(\frac{n+1}{e^n} \cdot \frac{e^{n-1}}{n}\right) = \lim_{n \to \infty} \frac{1}{e}\frac{n+1}{n} = \frac{1}{e}$이다.

(2) 원점에서 곡선 $y = \ln x$에 그은 접선의 방정식은 $y = \dfrac{x}{e}$이며 이 접선과 x축 및 곡선으로 이뤄진 도형 위의 입체도형은 두 부분으로 나눠진다. $0 \le x \le 1$일 때, 입체도형의 단면은 한 변의 길이가 $\dfrac{x}{e}$인 정삼각형이고, 이 입체도형의 부피는

$$V_1 = \int_0^1 \frac{\sqrt{3}}{4}\left(\frac{x}{e}\right)^2 dx = \frac{\sqrt{3}}{12e^2}$$

이다. $1 \le x \le e$일 때, 입체도형의 단면은 한 변의 길이가 $\dfrac{x}{e} - \ln x$인 정삼각형이고, 이 입체도형의 부피는

$$V_2 = \int_1^e \frac{\sqrt{3}}{4}\left(\frac{x}{e} - \ln x\right)^2 dx = \frac{\sqrt{3}}{4}\int_1^e\left(\frac{x^2}{e^2} - \frac{2}{e}x\ln x + (\ln x)^2\right)dx = \frac{5\sqrt{3}}{24}e - \frac{\sqrt{3}}{2} - \frac{\sqrt{3}}{8e} - \frac{\sqrt{3}}{12e^2}$$

이다. 따라서 입체도형의 전체 부피는

$$V = V_1 + V_2 = \frac{5\sqrt{3}}{24}e - \frac{\sqrt{3}}{2} - \frac{\sqrt{3}}{8e} = \frac{\sqrt{3}}{2}\left(\frac{5e}{12} - 1 - \frac{1}{4e}\right)$$

이다.

[논제 II]

체육 대회에서 예선을 통하여 상위 4개의 팀이 선발되었고, 이 중에서 우승팀을 결정하려고 한다. 우승팀을 결정하는 대진표는 아래와 같이 A, B, C세 경기를 치르는 <대진표 1>과 X, Y, Z세 경기를 치르는 <대진표 2>가 있다. 각 경기에서 한 팀이 다른 팀을 이길 확률은 예선 순위의 차이로 결정된다. 예선 상위 팀이 하위 팀을 이길 확률은 순위 차이가 1일 때 p, 순위 차이가 2일 때 q, 순위 차이가 3일 때 r이다. 예를 들어, 예선 1위 팀과 2위 팀이 경기를 할 때 1위가 이길 확률이 p, 2위와 4위가 경기를 할 때 2위가 이길 확률이 q, 1위와 4위가 경기를 할 때 1위가 이길 확률이 r이다. 단, 비기는 경우는 없으며, $0.5 \le p < q < T \le 1$이다. <대진표 1>로 대회를 진행할 때 예선 1위 팀이 우승할 확률을 P_1, <대진표 2>로 대회를 진행할 때 예선 1위 팀이 우승할 확률을 P_2라 하자.

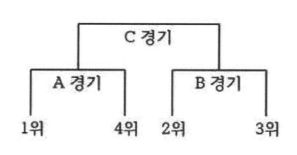

<대진표 1>

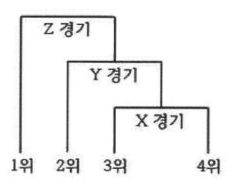

<대진표 2>

① $p = 0.6$, $q = 0.7$, $\tau = 0.8$일 때, P_1과 P_2를 구하고, 그 근거를 논술하시오.

② $q=\dfrac{5}{6}$, $r=1$일 때, P_1과 P_2를 각각 p의 식으로 나타내고, $P_1=P_2$가 되는 p를 구하시오. 그리고 그 근거를 논술하시오.

---

(1)

 (i) <대진표 1>로 진행할 때, 1위 팀이 우승하는 경우는 다음과 같다.

　(a) A에서 1위 승리, B에서 2위 승리, C에서 1위 승리

　(b) A에서 1위 승리, B에서 3위 승리, C에서 1위 승리

따라서 P_1은 $P_1=rpp+r(1-p)q=p^2r+(1-p)qr$**이고,**

$p=0.6$, $q=0.7$, $r=0.8$**이므로** $P_1=0.6^2\times0.8+0.4\times0.7\times0.8=0.512$**이다.**

 (ii) <대진표 2>로 진행할 때, 1위 팀이 우승하는 경우는 다음과 같다.

　(a) X에서 3위 승리, Y에서 2위 승리, Z에서 1위 승리

　(b) X에서 3위 승리, Y에서 3위 승리, Z에서 1위 승리

　(c) X에서 4위 승리, Y에서 2위 승리, Z에서 1위 승리

　(d) X에서 4위 승리, Y에서 4위 승리, Z에서 1위 승리

따라서 P_2는

$P_2=ppp+p(1-p)q+(1-p)qp+(1-p)(1-q)r=p^3+2p(1-p)q+(1-p)(1-q)r$**이고,**

$p=0.6$, $q=0.7$, $r=0.8$**이므로**

$P_2=0.6^3+2\times0.6\times0.4\times0.7+0.4\times0.3\times0.8=0.648$**이다.**

(2) $q=\dfrac{5}{6}$, $r=1$을 **(1)**에서 구한 P_1, P_2에 대입하여 p의 식으로 나타내면

$$P_1=p^2+\frac{5}{6}(1-p)=\frac{1}{6}(6p^2-5p+5)$$

$$P_2=p^3+\frac{5}{3}p(1-p)+\frac{1}{6}(1-p)=\frac{1}{6}(6p^3-10p^2+9p+1)$$

이다. 따라서 $6p^2-5p+5=6p^3-10p^2+9p+1$**이고,**

$6p^3-16p^2+14p-4=2(p-1)^2(3p-2)=0$, $p<1$**이므로** $p=\dfrac{2}{3}$**이다.**

[논제 Ⅲ]

점 $A\left(a,\dfrac{1}{a}\right)$ $(a>0)$을 지나고 기울기가 음수인 직선이 곡선 $y=\dfrac{1}{x}$과 접하지 않는다. 이 직선이 y축과 만나는 점을 P, x축과 만나는 점을 Q, 곡선 $y=\dfrac{1}{x}$과 만나는 점 중 A가 아닌 점을 B라 하고, 원점을 O라 하자.

① $\overline{AB}=\dfrac{1}{2}\overline{PQ}$일 때, 삼각형 OPQ의 넓이 $S(a)$를 구하고, 그 근거를 논술하시오.

② $\overline{\mathrm{AB}}=1$일 때, 삼각형 OPQ의 넓이 $S(a)$에 대하여 $\displaystyle\lim_{a \to \infty} S(a)$와 $\displaystyle\lim_{a \to 0} S(a)$의 값을 구하고, 그 근거를 논술하시오.

점 B의 좌표를 $\mathrm{B}\left(b,\ \dfrac{1}{b}\right)$라 하자. 점 A와 B를 지나는 직선의 방정식은

$$y = -\frac{1}{ab}x + \frac{1}{a} + \frac{1}{b}$$

이다. 따라서 점들의 좌표 $\mathrm{P}\left(0,\ \dfrac{1}{a}+\dfrac{1}{b}\right)$와 $\mathrm{Q}(a+b,\ 0)$을 얻을 수 있다. 따라서

$$\overline{\mathrm{AB}} = \sqrt{(a-b)^2 + \left(\frac{1}{a}-\frac{1}{b}\right)^2} = \frac{|a-b|}{ab}\sqrt{1+a^2 b^2}$$

이고,

$$\overline{\mathrm{PQ}} = \sqrt{(a+b)^2 + \left(\frac{1}{a}+\frac{1}{b}\right)^2} = \frac{(a+b)}{ab}\sqrt{1+a^2 b^2}$$

이다.

(1) 점 B가 $\overline{\mathrm{AB}}=\dfrac{1}{2}\overline{\mathrm{PQ}}$를 만족하는 경우, $|a-b|=\dfrac{1}{2}(a+b)$를 얻는다. 이때, $a>b$이면 $b=\dfrac{1}{3}a$이고, $a<b$이면 $b=3a$이다. 삼각형 OPQ의 넓이는

$$S(a) = \frac{1}{2}\left(\frac{1}{a}+\frac{1}{b}\right)(a+b) = \frac{(a+b)^2}{2ab}$$

이므로, $a>b$인 경우와 $a<b$인 경우 모두 $S(a)=\dfrac{8}{3}$을 얻는다.

(2) 점 B가 $\overline{\mathrm{AB}}=1$을 만족하는 경우,

$$|a-b| = \frac{ab}{\sqrt{1+a^2 h^2}}$$

를 얻는다. 이때 $a>b$이면 $a=b+\dfrac{ab}{\sqrt{1+a^2 b^2}}$이고, $a<b$이면 $b=a+\dfrac{ab}{\sqrt{1+a^2 b^2}}$이므로, 이를 다시 쓰면

$$\frac{b}{a} = \begin{cases} 1 - \dfrac{b}{\sqrt{1+a^2 b^2}} & (a>b) \\[2mm] 1 + \dfrac{b}{\sqrt{1+a^2 b^2}} & (a<b) \end{cases}$$

이다. 여기서 $0 < \dfrac{ab}{\sqrt{1+a^2 b^2}} < 1$이므로, $0 < \dfrac{b}{\sqrt{1+a^2 b^2}} < \dfrac{1}{a}$이고,

극한값 $\displaystyle\lim_{a \to \infty} \frac{b}{\sqrt{1+a^2b^2}}=0$을 얻는다. 따라서 극한값 $\displaystyle\lim_{a \to \infty} \frac{b}{a}=1$을 얻을 수 있고, 이를 이용하면

$$\lim_{a \to \infty} S(a) = \lim_{a \to \infty} \frac{\left(1+\dfrac{b}{a}\right)^2}{2\dfrac{b}{a}} = 2$$

를 얻는다. 위 식을 $\dfrac{a}{b}$에 대해서 정리하면

$$\frac{a}{b} = \begin{cases} 1+\dfrac{a}{\sqrt{1+a^2b^2}} & (a>b) \\[3mm] 1-\dfrac{a}{\sqrt{1+a^2b^2}} & (a<b) \end{cases}$$

이다. 여기서 $0 < \dfrac{1}{\sqrt{1+a^2b^2}} < 1$이므로, $0 < \dfrac{a}{\sqrt{1+a^2b^2}} < a$이고,

극한값 $\displaystyle\lim_{a \to 0} \frac{a}{\sqrt{1+a^2b^2}}=0$을 얻는다. 따라서 극한값 $\displaystyle\lim_{a \to \infty} \frac{a}{b}=1$을 얻을 수 있고, 이를 이용하면

$$\lim_{a \to 0} S(a) = \lim_{a \to 0} \frac{\left(1+\dfrac{a}{b}\right)^2}{2\dfrac{a}{b}} = 2$$

를 얻는다.

[논제 IV]

<그림 1>과 같이 중심이 원점 0이고 반지름이 1인 원 위에 같은 간격으로 놓여 있는 세 개 이상의 점 P_1, $\cdots$, P_n이 있다. 매순간 점 $P_k(k<n)$는 점 P_{k+1}을 향하여 움직이고, 점 P_n은 점 P_1을 향하여 움직인다. 점 P_1은 점 $(1, 0)$에서 출발하고, $\overline{OP_1}=\overline{OP_2}= \cdots =\overline{OP_n}>0$와 $\angle P_1OP_2 = \cdots = \angle P_{n-1}OP_n = \angle P_nOP_1$는 항상 성립한다.

$a = \dfrac{1-\cos\dfrac{2\pi}{n}}{\sin\dfrac{2\pi}{n}}$라고 할 때, 다음 물음에 답하시오.

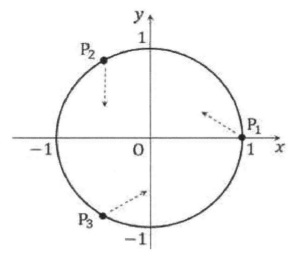

<그림 1: $n=3$인 경우>

(1) 매개변수 t가 동경 OP_1이 나타내는 각의 크기일 때, 점 P_1의 좌표 $(x_1, \ y_1)$을 나타내는 함수 $x_1 = f_1(t)$, $y_1 = g_1(t)$를 α를 이용하여 나타내고, 그 근거를 논술하시오.

(2) 점 P_1이 $t=0$에서 $t=u$까지 움직인 거리 $s(u)$의 극한값 $\displaystyle\lim_{u \to \infty} s(u)$를 α를 이용하여 나타내고, 그 근거를 논술하시오.

---

(1) $\theta = \dfrac{2\pi}{n} = \angle P_1 O P_2 = \cdots = \angle P_{n-1} O P_n = \angle P_n O P_1$이라 하자. 매개변수 t가 동경 OP_1이 나타내는 각의 크기일 때, 점 P_1의 좌표$(x_1, \ y_1)$을 나타내는 함수는 $x_1 = f_1(t)$, $y_1 = g_1(t)$이고, 점 P_2의 좌표 $(x_2, \ y_2)$를 나타내는 함수는 $x_2 = f_2(t)$, $y_2 = g_2(t)$이다. 그림과 같이 $r = \overline{OP_1} = \overline{OP_2}$이라 하면

$f_1(t) = r\cos t$, $g_1(t) = r\sin t$, $f_2(t) = r\cos(t+\theta)$, $g_2(t) = r\sin(t+\theta)$이다. 삼각함수의 덧셈정리에 의해,

$f_2 = r\cos t \cos\theta - r\sin t \sin\theta = f_1\cos\theta - g_1\sin\theta \quad g_2 = r\sin t \cos\theta + r\cos t \sin\theta = g_1\cos\theta + f_1\sin\theta$

이다.

$\dfrac{dy_1}{dx_1} = \dfrac{g_1{}'}{f_1{}'}$이 직선 P_1P_2의 기울기 $\dfrac{-g_1(1-\cos\theta) + f_1\sin\theta}{-f_1(1-\cos\theta) - g_1\sin\theta}$와 같으므로,

$(f_1{}'g_1 - f_1 g_1{}')(1-\cos\theta) = (f_1{}'f_1 + g_1{}'g_1)\sin\theta$이다.

$f_1{}'(t) = r'\cos t - r\sin t$, $g_1{}'(t) = r'\sin t + r\cos t$이므로 $f_1{}'g_1 - f_1 g_1{}' = -r^2$이고,

$f_1{}'f_1 + g_1{}'g_1 = r'r$이므로, $-r^2(1-\cos\theta) = r'r\sin\theta$이다.

$r > 0$이므로, $\dfrac{r'}{r} = -\dfrac{1-\cos\theta}{\sin\theta}$이고, $\dfrac{1-\cos\theta}{\sin\theta} = \dfrac{1-\cos\dfrac{2\pi}{n}}{\sin\dfrac{2\pi}{n}} = \alpha$이므로 양변을 치환적분하면

$r = ke^{-\alpha t}$**이고,** $t = 0$**일 때** $r = 1$**이므로,** $k = 1$**이다.**

따라서, $f_1(t) = e^{-\alpha t}\cos t$, $g_1(t) = e^{-\alpha t}\sin t$**이다.**

$(2)\, s(u) = \int_0^u \sqrt{\{f_1{'}(t)\}^2 + \{g_1{'}(t)\}^2}\, dt = \int_0^u \sqrt{\alpha^2 + 1}\, e^{-\alpha t} dt = \dfrac{\sqrt{\alpha^2 + 1}}{\alpha}(1 - e^{-\alpha u})$**이므로,**

$\displaystyle\lim_{u \to \infty} s(u) = \dfrac{\sqrt{\alpha^2 + 1}}{\alpha}$**이다**

7. 2022학년도 경희대 수시 논술 (일요일)

[논제 1]

$\overline{AB} = \overline{AC}$인 이등변삼각형 ABC의 내접원 O의 반지름을 1이라 하고 <그림 1>과 같이 두 변과 내접원 O에 모두 접하는 원을 각각 P_1, Q_1, R_1이라 하자. 자연수 n에 대하여 원 P_{n+1}은 원 P_n과 두 변 AB, AC에 접하고, 원 P_{n+1}의 반지름은 원 P_n의 반지름보다 작다. 원 Q_{n+1}은 원 Q_n과 두 변 AB, BC에 접하고, 원 Q_{n+1}의 반지름은 원 Q_n의 반지름보다 작다. 원 R_{n+1}은 원 R_n과 두 변 BC, AC에 접하고, 원 R_{n+1}의 반지름은 원 R_n의 반지름보다 작다. 각 B의 크기를 θ라고 할 때, 다음 물음에 답하시오.

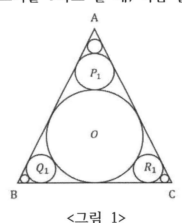

<그림 1>

(1) 모든 원의 둘레의 합을 $f(\theta) = c_1 \sec d_1\theta + c_2 \csc d_2\theta + c_3$의 꼴로 나타내고, 그 근거를 논술하시오. (단, c_1, c_2, c_3, d_1, d_2는 실수이다.)

(2) 삼각형 ABC의 세 변의 길이의 합 $g(\theta)$와 극한값 $\displaystyle\lim_{\theta \to 0} \dfrac{f(\theta)}{g(\theta)}$, $\displaystyle\lim_{\theta \to \frac{\pi}{2}} \dfrac{f(\theta)}{g(\theta)}$를 구하시오. 그리고 그 근거를 논술하시오.

(1) 각 B와 각 C의 크기를 θ라 하면, 각 A의 크기는 $\pi - 2\theta$이다. 원 P_1의 반지름 p_1은

$\dfrac{1 - p_1}{1 + p_1} = \sin\left(\dfrac{\pi}{2} - \theta\right) = \cos\theta$**에서** $p_1 = \dfrac{1 - \cos\theta}{1 + \cos\theta}$**이므로, 일반적으로 원 P_n의 반지름 p_n은 공**

비가 $\dfrac{1-\cos\theta}{1+\cos\theta}$ 인 등비수열이다. 마찬가지로 원 Q_1의 반지름 q_1은 $\sin\dfrac{\theta}{2}=\dfrac{1-q_1}{1+q_1}$ 에서

$q_1=\dfrac{1-\sin\dfrac{\theta}{2}}{1+\sin\dfrac{\theta}{2}}$ 이므로, 일반적으로 원 Q_n의 반지름 q_n은 공비가 $\dfrac{1-\sin\dfrac{\theta}{2}}{1+\sin\dfrac{\theta}{2}}$ 인 등비급수이

다. 원 R_n의 반지름 r_n은 q_n과 같다. 따라서, 모든 원의 둘레의 합은 내접원 O의 둘레를 첫째항으로 하는 등비급수의 합을 이용하여 계산하면

$$f(\theta)=\dfrac{2\pi}{1-\dfrac{1-\cos\theta}{1+\cos\theta}}+2\dfrac{2\pi}{1-\dfrac{1-\sin\dfrac{\theta}{2}}{1+\sin\dfrac{\theta}{2}}}-4\pi=\dfrac{\pi(1+\cos\theta)}{\cos\theta}+\dfrac{2\pi\left(1+\sin\dfrac{\theta}{2}\right)}{\sin\dfrac{\theta}{2}}-4\pi$$

$$=\pi\sec\theta+2\pi\csc\dfrac{\theta}{2}-\pi$$

이다.

(2) 삼각형의 세 변의 길이의 합은 내접원의 중심에서 각 변에 수선의 발을 내려, 꼭짓점에서 그 수선의 발까지의 거리의 합을 이용하여 계산할 수 있다. $g(\theta)=2\tan\theta+4\cot\dfrac{\theta}{2}$ 이다.

$$\dfrac{f(\theta)}{g(\theta)}=\dfrac{\pi\sec\theta+2\pi\csc\dfrac{\theta}{2}-\pi}{2\tan\theta+4\cot\dfrac{\theta}{2}}=\dfrac{\pi\sin\dfrac{\theta}{2}\sec\theta+2\pi-\pi\sin\dfrac{\theta}{2}}{2\sin\dfrac{\theta}{2}\tan\theta+4\cos\dfrac{\theta}{2}}$$

이고, $\theta\to 0$이면

$$\dfrac{\pi\sin\dfrac{\theta}{2}\sec\theta+2\pi-\pi\sin\dfrac{\theta}{2}}{2\sin\dfrac{\theta}{2}\tan\theta+4\cos\dfrac{\theta}{2}}\to\dfrac{0+2\pi-0}{0+4}=\dfrac{\pi}{2}$$

이므로

$$\lim_{\theta\to 0}\dfrac{f(\theta)}{g(\theta)}=\dfrac{\pi}{2}$$

이다. 또한,

$$\dfrac{f(\theta)}{g(\theta)}=\dfrac{\pi\sec\theta+2\pi\csc\dfrac{\theta}{2}-\pi}{2\tan\theta+4\cot\dfrac{\theta}{2}}=\dfrac{\pi+2\pi\cos\theta\csc\dfrac{\theta}{2}-\pi\cos\theta}{2\sin\theta+4\cos\theta\cot\dfrac{\theta}{2}}$$

이고,

$\theta \to \dfrac{\pi}{2}$ **이면**

$$\dfrac{\pi + 2\pi cos\theta csc \dfrac{\theta}{2} - \pi cos\theta}{2sin\theta + 4cos\theta cot \dfrac{\theta}{2}} \to \dfrac{\pi + 0 - 0}{2 + 0} = \dfrac{\pi}{2}$$

이므로

$$\lim_{\theta \to \frac{\pi}{2}} \dfrac{f(\theta)}{g(\theta)} = \dfrac{\pi}{2}$$

이다.

[논제 Ⅱ]

수직선 위의 두 점 P, Q가 시각 $t=0$일 때 각각 원점 O와 q_0에서 출발하여 속도 $v_1(t)$, $v_2(t)$로 움직인다. 다음 조건

　'$q_0 > a$인 모든 실수 q_0에 대하여 $0 < t < 1$에서 두 점 P와 Q는 만나지 않는다.'

에 대하여 물음에 답하시오.

(1) $v_1(t) = v_2(t) + \cos\dfrac{\pi}{2}t$일 때. 위 조건을 만족하는 실수 a의 최솟값을 구하고, 그 근거를 논술하시오.

(2) $v_1(t) = v_2(t) + t\cos 4\pi t$일 때, 위 조건을 만족하는 실수 a의 최솟값을 구하고, 그 근거를 논술하시오.

(1) 시각 t에서 두 점 P, Q의 위치를 각각 $f(t)$, $g(t)$라 두면, $f(0) = 0$, $g(0) = q_0$이고 $f'(t) = g'(t) + \cos\dfrac{\pi}{2}t$이다. $h(t) = f(t) - g(t)$로 두고, 위의 등식을 적분하면

$$h(t) = \dfrac{2}{\pi}\sin\dfrac{\pi}{2}t + h(0) = \dfrac{2}{\pi}\sin\dfrac{\pi}{2}t - q_0$$

이다.

'$q_0 > a$인 모든 q_0에 대하여, 두 점 P, Q가 만나지 않는다'

는 '$q_0 > a$인 모든 q_0에 대하여, 시각 $0 < t < 1$에서 $h(t) = 0$인 t가 존재하지 않는다'와 같다. 따라서, $q_0 > a$인 모든 q_0에 대하여, 시각 $0 < t < 1$에서 $h(t) = 0$인 t가 존재하지 않을 a의 최솟값을 찾으면 된다.

$r(t) = \dfrac{2}{\pi}\sin\dfrac{\pi}{2}t$, $c = q_0$라 두면, $h(t) = 0$의 해는 $r(t) = c$의 해가 된다. 아래 왼쪽 그림과 같이 $y = r(t)$와 $y = c$의 교점이 $0 < t < 1$에서 존재하지 않기 위해서는

$c = q_0 > h(1) = \dfrac{2}{\pi}$ 혹은 $c = q_0 \le 0$를 만족하여야 한다.

즉, $a \ge \dfrac{2}{\pi}$일 때 $q_0 > a$를 만족하는 모든 q_0에 대하여, 두 점 P, Q가 만나지 않는다. 따

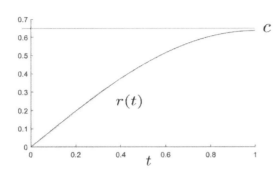 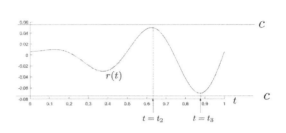

라서, a의 최솟값은 $\dfrac{2}{\pi}$이다.

(2)

(1)에서와 같이 $h(t)$를 정의하면, $h(0) = -q_0$이고 $h'(t) = t\cos 4\pi t$이므로,

$$h(t) = \dfrac{1}{4\pi}t\sin 4\pi t + \dfrac{1}{(4\pi)^2}\cos 4\pi t - \dfrac{1}{(4\pi)^2} - q_0$$

이다. 이때, $r(t)$와 c를 다음과 같이 두면,

$r(t) = \dfrac{1}{4\pi}t\sin 4\pi t + \dfrac{1}{(4\pi)^2}\cos 4\pi t$, $c = \dfrac{1}{(4\pi)^2} + q_0$, $h(t) = 0$의 해는 $r(t) = c$의 해가 된다.

$y = r(t)$의 그래프를 그리기 위해 $r(t)$의 극점을 구하면,

$r'(t) = t\cos 4\pi t = 0$에서

$$t_k = \dfrac{2k+1}{8}, \ k = 0, \ 1, \ 2, \ 3$$

이 된다. 각 t_k에서 $r(t_k) = \dfrac{1}{4\pi}t_k \sin\left(k + \dfrac{1}{2}\right)\pi = \dfrac{t_k}{4\pi}(-1)^k = (-1)^k\dfrac{2k+1}{32\pi}$이다.

$r(0) = r(1) = \dfrac{1}{(4\pi)^2}$이므로, 함수의 증감표는 다음과 같다.

t	0		t_0		t_1		t_2		t_3		1
$r'(t)$		$+$	0	$-$	0	$+$	0	$-$	0	$+$	
$r(t)$	$\dfrac{1}{(4\pi)^2}$	$\nearrow$	$\dfrac{1}{32\pi}$	$\searrow$	$\dfrac{-3}{32\pi}$	$\nearrow$	$\dfrac{5}{32\pi}$	$\searrow$	$\dfrac{-7}{32\pi}$	$\nearrow$	$\dfrac{1}{(4\pi)^2}$

함수의 그래프의 개형은 위의 오른쪽 그림과 같으며, $c > r(t_2)$ 혹은 $c < r(t_3)$일 때, $r(t) = c$의 해가 없다.

$c = \dfrac{1}{(4\pi)^2} + q_0$**이므로,** $\quad q_0 > r(t_2) - \dfrac{1}{(4\pi)^2}\left(= \dfrac{5\pi - 2}{32\pi^2}\right)$ **혹은** $\quad q_0 < r(t_3) - \dfrac{1}{(4\pi)^2}\left(= \dfrac{-7\pi - 2}{32\pi^2}\right)$

이면, $r(t) = c$**의 해가 없다.**

즉, $a \geq \dfrac{5\pi - 2}{32\pi^2}$**일 때,** $q_0 > a$**인 모든** q_0**에 대하여** $r(t) = c$**의 해가 존재하지 않는다.**

따라서, 두 점 P, Q가 $0 < t < 1$**에서 만나지 않을** a**의 최솟값은** $\dfrac{5\pi - 2}{32\pi^2}$**이다.**

[논제 Ⅲ]

(1) 다음과 같이 두 학생 A, B중에서 상품을 받을 한 명을 결정한다.

　　(i) 비긴 경우도 포함해서 가위바위보를 최대 4회 실시한다.

　　(ii) A는 B보다 이긴 횟수가 많거나 같을 때 상품을 받는다.

　　(iii) B는 A보다 이긴 횟수가 많을 때만 상품을 받는다.

　　(iv) 가위바위보는 상품을 받을 학생이 결정될 때까지만 한다.

예를 들어, A가 먼저 1회 이기고 2회 비긴 경우에는 남은 1회를 실시하지 않고 A가 상품을 받는다. 또한, 4회 모두 비긴 경우에도 A가 상품을 받는다. 이때 A가 상품을 받을 확률을 구하고, 그 근거를 논술하시오. (단, A, B가 가위, 바위, 보를 낼 확률은 각각 $\dfrac{1}{3}$이다.)

(2) 앞면이 검은색이고 뒷면이 흰색인 종이를 가로로 n장 붙여서 띠를 만든다. 이 띠와 같은 띠를 왼쪽과 오른쪽으로 계속 이어 붙여서 만들어지는 모양을 생각하자. 예를 들어 세 장의 종이를 검은색, 검은색, 흰색이 보이도록 순서대로 붙여서 띠를 만든 뒤, 이를 계속 이어 붙이면 <그림 2>와 같은 모양이 된다.

<그림 2>

이때, 옆으로 몇 칸 움직이거나, 위아래로 뒤집은 것들을 같은 모양으로 본다. 예를 들어 <그림 3>과 <그림 4>는 <그림 2>와 같은 모양으로 본다.

<그림 3>

<그림 4>

위의 규칙대로 n장의 종이로 만든 띠를 이어 붙여서 얻어지는 서로 다른 모양의 개수를 a_n이라 하자. 예를 들어 $n = 2$일 때 검은색 면이 보이도록 놓인 종이를 B, 흰색 면이 보

121

이도록 놓인 종이를 W로 표시하면, 서로 다른 모양은 BW로 만든 것과 BB로 만든 것 뿐이므로 a_2는 2이다. 이와 같이 a_4, a_6, a_6을 각각 구하고, 그 근거를 논술하시오.

---

(1) 가위바위보에서 A가 B를 이길 확률, 비길 확률, 질 확률은 모두 $\frac{1}{3}$이다.

  (i) 1회만 실시한 뒤, A가 상품을 받는 경우

– 없음 (1회에 A가 이긴 경우라도 2회, 3회, 4회에 B가 이기면 B가 상품을 받게 된다. 이처럼 1회만 실시한 뒤에 는 상품을 받을 사람이 결정되지 않는다. 따라서 1회만 실시한 뒤 A가 상품을 받는 경우는 없다.)

  (ii) 2회만 실시한 뒤, A가 상품을 받는 경우

– 2승: 승-승

  (iii) 3회만 실시한 뒤, A가 상품을 받는 경우

– 2승 1패: 승-패-승 / 패-승-승
– 2승 1무: 승-무-승 / 무-승-승
– 1승 2무: 승-무-무 / 무-승-무 / 무-무-승

  (iv) 4회 실시한 뒤, A가 상품을 받는 경우

– 2승 2패: 승-패-패-승 / 패-승-패-승 / 패-패-승-승
– 2승 1무 1패: 승-무-패-승 / 승-패-무-승 / 무-승-패-승 / 무-패-승-승 /
                  패-승-무-승 / 패-무-승-승
– 1승 2무 1패: 승-패-무-무 / 승-무-패-무 / 패-승-무-무 / 패-무-승-무 /
                  패-무-무-승 / 무-승-패-무 / 무-무-패-승 / 무-패-승-무 /
                  무-패-무-승
– 1승 3무: 무-무-무-승
– 4무: 무-무-무-무

따라서 구하는 확률은 $1 \times \frac{1}{9} + 7 \times \frac{1}{27} + 20 \times \frac{1}{81} = \frac{50}{81}$ **이다.**

(2) 검은색 면이 위로 놓인 경우를 B, 흰색 면이 위로 놓인 경우를 W로 표시하자. r개 의 B와 s개의 W로 이루어 진 띠의 위아래를 뒤집으면, s개의 B와 r개의 W로 이루어진 띠가 되므로, r이 s보다 크거나 같은 경우만 고려하 면 된다.

1) $n=4$일 때

  1–1) B의 개수가 4일 때, BBBB한 가지 경우 밖에 없다.

  1–2) B의 개수가 3일 때, BBBW, BBWB, BWBB, WBBB가 같은 모양이므로 한 가지 밖에 없다.

  1–3) B의 개수가 2일 때, BBWW, BWWB, WWBB, WBBW가 같은 모양이고, BWBW, WBWB가 같은 모양이다. 2개의 B와 2개의 W를 일렬로 나열하는 순열의 수 는 $\frac{4!}{2!2!} = 6$이므로, 이 두 가지 말고 다른 모양은 없다. 따라서 $a_4 = 1 + 1 + 2 = 4$이다.

2) $n=5$일 때

2-1) B의 개수가 5일 때, BBBBB한 가지 경우 밖에 없다.

2-2) B의 개수가 4일 때, BBBBW한 가지 경우 밖에 없다.

2-3) B의 개수가 3일 때, BBBWW와 같은 모양이 되는 순열이 4개가 더 있고, BBWBW와 같은 모양인 순열도 4개가 더 있다. 3개의 B와 2개의 W를 일렬로 나열하는 순열의 수는 $\frac{5!}{3!2!}=10$이므로, 이 두 가지 말고 다른 모양은 없다.

따라서 $a_5=1+1+2=4$**이다.**

3) $n=6$일 때

3-1) B의 개수가 6일 때, BBBBBB한 가지 경우 밖에 없다.

3-2) B의 개수가 5일 때, BBBBBW한 가지 경우 밖에 없다.

3-3) B의 개수가 4일 때, BBBBWW, BBBWBW와 같은 모양이 되는 순열이 각각 5개씩 더 있으며, BBWBBW와 같은 모양이 되는 순열은 2개가 더 있다. 4개의 B와 2개의 W를 일렬로 늘어놓은 경우의 수는 $\frac{6!}{4!2!}=15$이므로, 이 세 가지 말고 다른 모양은 없다.

3-4) B의 개수가 3일 때, BBBWWW와 같은 모양이 되는 순열이 5개, BBWBWW와 같은 모양이 되는 순열이 11개 더 있으며, BWBWBW와 WBWBWB는 서로 같은 모양이다. 3개의 B와 3개의 W를 일렬로 나열하는 순열의 수는 $\frac{6!}{3!3!}=20$이므로, 이 세 가지 말고 다른 모양은 없다.

따라서 $a_6=1+1+3+3=8$**이다.**

[논제 Ⅳ]

<그림 5>와 같이 타원 $\frac{x^2}{a^2}+y^2=1$과 제 1사분면에서 접하는 직선이 직선 $x=a$와 점 A에서 만나고, 직선 $y=1$과 점 B에서 만난다. 점 C는 $(a,\ 1)$이다. (단, $a>0$)

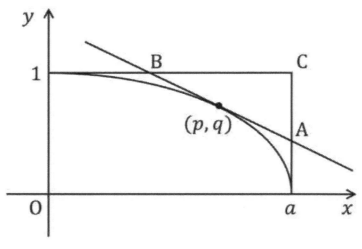

<그림 5>

(1) 접점의 좌표가 $(p,\ q)$일 때, 삼각형 ABC의 넓이를 p와 q의 식으로 나타내고, 그 근거를 논술하시오.

(2) 삼각형 ABC의 넓이의 최댓값을 구하고, 그 근거를 논술하시오.

---

(1) 접점이 제 1사분면에 있으므로 $0<p<a,\ 0<q<1$**이다.**

타원 $\dfrac{x^2}{a^2}+y^2=1$**위의 점** $(p,\ q)$**에서 접선의 방정식은** $\dfrac{px}{a^2}+qy=1$**이다.**

접선의 기울기는 $\dfrac{dq}{dp}=-\dfrac{p}{a^2 q}$**이다.**

$x=a$**일 때,** $\dfrac{p}{a}+qy=1$**이므로,** $\mathrm{A}\!\left(a,\ \dfrac{-p+a}{aq}\right)$**이고,**

$y=1$**일 때,** $\dfrac{px}{a^2}+q=1$**이므로,** $\mathrm{B}\!\left(\dfrac{a^2(-q+1)}{p},\ 1\right)$**이다.**

삼각형 ABC의 넓이는

$$S=\frac{1}{2}\cdot\overline{\mathrm{AC}}\cdot\overline{\mathrm{BC}}=\frac{1}{2}\left(1-\frac{-p+a}{aq}\right)\!\left\{a-\frac{a^2(-q+1)}{p}\right\}=\frac{(p+aq-a)^2}{2pq}$$

이다.

(2) 삼각형 ABC의 넓이 S를 p에 대하여 미분하면 (여기서, $\dfrac{p^2}{a^2}+q^2=1$를 이용)

$$\frac{dS}{dp}=\frac{2(p+aq-a)\!\left(1+a\dfrac{dq}{dp}\right)pq-(p+aq-a)^2\!\left(q+p\dfrac{dq}{dp}\right)}{2p^2q^2}$$

이고, $\dfrac{dq}{dp}=-\dfrac{p}{a^2 q}$**와** $\dfrac{x^2}{a^2}+y^2=1$**를 이용하여 이를 정리하면**

$$\frac{dS}{dp} = \frac{(p+aq-a)(-2p^2+ap-a^2q+a^2)}{2ap^2q^3} = \frac{(p-a)(q-1)(aq-p)}{p^2q^3}$$

이다. $0 < p < a$이고 $0 < q < 1$이므로 $p = \dfrac{a}{\sqrt{2}}$에서만 $\dfrac{dS}{dp} = 0$이고, $p = \dfrac{a}{\sqrt{2}}$에서 $\dfrac{dS}{dp}$의 부

호가 양에서 음으로 바뀐다. 따라서, 삼각형 ABC의 넓이는 $p = \dfrac{a}{\sqrt{2}}$에서 최댓값

$S = (3 - 2\sqrt{2})a$을 가진다.

8. 2022학년도 경희대 모의 논술

[논제 1]

(1) $x^2 + y^2 = 1$을 만족하는 실수 x, y에 대하여 $100x^2 + 240xy$의 최댓값을 구하고, 그 근거를 논술하시오.

(2) 삼차함수 $f(x) = 4x^3 + ax^2 + bx + c$ (a, b, c 상수)에 대하여 함수 $g(x) = f(e^x)$가 다음 조건을 만족시킨다.

　　(ㄱ) 모든 실수 x에 대하여 $g'(x) = e^{4x}g'(-x)$이다.

　　(ㄴ) $\displaystyle\lim_{x \to -\infty} g(x) = -9a$이다.

　　(ㄷ) 함수 $g(x)$는 최소한 하나의 극값을 가진다.

이러한 모든 함수 $g(x)$에 대하여, 함수 $h(x) = g(x) - 2(a^2 + 6)e^x$의 최솟값이 최대가 되는 a의 값을 구하고, 그 근거를 논술하시오.

(1)

임의의 실수 p, q에 대하여 $(p-q)^2 \geq 0$에서 $2pq \leq p^2 + q^2$이고 등호는 $p = q$에서 성립한

다. $p = ax$, $q = 120\dfrac{y}{a}$을 대입하면, $240xy \leq a^2x^2 + 120^2\dfrac{y^2}{a^2}$에서

$100x^2 + 240xy \leq (100 + a^2)x^2 + 120^2\dfrac{y^2}{a^2}$이다.

$100 + a^2 = \dfrac{120^2}{a^2}$이 되도록 하는 a^2을 찾으면 $a^2 = \dfrac{-100 + \sqrt{100^2 + 4 \times 120^2}}{2}$이고

$100x^2 + 240xy \leq \dfrac{100 + \sqrt{100^2 + 4 \times 120^2}}{2}(x^2 + y^2) = 180$이다

따라서 $100x^2 + 240xy$의 최댓값은 180이다.

(2)

함수 $g(x)$를 미분하면 $g'(x) = 12e^{3x} + 2ae^{2x} + be^x$이고,

주어진 조건(가) $g'(x) = e^{4x}g'(-x)$로부터

$$12e^{3x} + 2ae^{2x} + be^x = e^{4x}\left(12e^{-3x} + 2ae^{-2x} + be^{-x}\right) = 12e^x + 2ae^{2x} + be^{3x}$$

를 얻는다. 변수 x에 1을 대입하면 $12e^3 + 2ae^2 + be = 12e + 2ae^2 + be^3$이 되고, $b = 12$임을 알 수 있다.

그래서, $g(x) = 4e^{3x} + ae^{2x} + 12e^x + c$이다.

$\displaystyle\lim_{x \to -\infty} g(x) = \lim_{x \to -\infty} (4e^{3x} + ae^{2x} + 12e^x + c) = c$이므로 조건(나) $\displaystyle\lim_{x \to -\infty} g(x) = -9a$로부터 $c = -9a$이다. 조건(다) 함수 $g(x)$가 최소한 하나의 극값을 가져야 하기에 도함수

$$g'(x) = 12e^{3x} + 2ae^{2x} + 12e^x$$

가 부호가 바뀌는 근을 가진다.

$A = e^x$라 하면 함수 $12A^3 + 2aA^2 + 12A = 2A(6A^2 + aA + 6)$가 중근이 아닌 양의 근을 가져야 한다. $A > 0$이므로 이차함수 $y = 6A^2 + aA + 6$가 중근이 아닌 양의 근을 가져야 한다.

판별식 $a^2 - 4 \cdot 6 \cdot 6 > 0$이므로, $|a| > 12$이다. 양의 근을 가지기 위하여 꼭짓점의 A좌표가 양수이므로, $a < 0$이다. 이로부터 $a < -12$이다.

함수 $h(x) = g(x) - 2(a^2 + 6)e^x = 4e^{3x} + ae^{2x} - 2a^2 e^x - 9a$이고

$h'(x) = 12e^{3x} + 2ae^{2x} - 2a^2 e^x = 2e^x(6e^{2x} + ae^x - a^2) = 2e^x(3e^x - a)(2e^x + a)$이다.

$a < 0$이므로 $e^x = -\dfrac{a}{2}$, 즉 $x = \ln\left(-\dfrac{a}{2}\right)$만 근이 된다.

$h'(x)$가 $x = \ln\left(-\dfrac{a}{2}\right)$에서 음에서 양으로 부호가 바뀌므로 $h(x)$는 $x = \ln\left(-\dfrac{a}{2}\right)$에서 최소이고, $h\left(\ln\left(-\dfrac{a}{2}\right)\right) = 4\left(-\dfrac{a}{2}\right)^3 + a\left(-\dfrac{a}{2}\right)^2 - 2a^2\left(-\dfrac{a}{2}\right) - 9a = \dfrac{3}{4}a^3 - 9a$가 최솟값이다.

함수 $k(a) = \dfrac{3}{4}a^3 - 9a$라 하면, $k'(a) = \dfrac{9}{4}a^2 - 9 = \dfrac{9}{4}(a^2 - 4)$이다.

$a < -12$에서 $k'(a)$의 부호가 항상 양이므로 $k(a)$는 증가함수이다. $a < -12$에는 끝점이 포함 되지 않으므로 $k(a)$는 최댓값을 가지지 않는다.

그래서 함수 $h(x)$의 최솟값이 최대가 되는 a는 없다.

[논제 2]

정수가 적힌 공이 여러 개 들어있는 세 개의 상자 A, B, C가 있다. 상자 A, B, C에서 각각 임의로 1개씩의 공을 꺼냈을 때, 상자 A에서 꺼낸 공에 적힌 수를 a, 상자 B에서 꺼낸 공에 적힌 수를 b, 상자 C에서 꺼낸 공에 적힌 수를 c라 하자.

(1) 상자 A에 0, 1, 2, 3, 4, 5가 각각 적힌 공 6개가, 상자 B에 1, 2, 3, 4, 5가 각각 적힌 공 5개가, 상자 C에 1, -1이 각각 적힌 공 2개가 들어있는 경우, 이차방정식 $x^2 - ax + bc = 0$이 서로 다른 2개의 정수해를 갖는 경우의 수를 구하여라.

(2) 상자 A에 2부터 16까지 자연수가 각각 하나씩 적힌 15개의 공이, 상자 B에 2, 3, 5, 7, 11, 13, 17, 19가 각각 적힌 8개의 공이, 상자 C에 1, -1이 각각 적힌 2개

의 공이 들어있는 경우를 생각하자. 이차방정식 $x^2 - ax + bc = 0$이 서로 다른 2개의 정수해를 가질 확률을 구하여라.

---

(1)

a의 값에 따라 서로 다른 2개의 정수해를 갖는 경우는 다음과 같다.

가) $a = 0 : x^2 - 1 = (x-1)(x+1) = 0, \quad x^2 - 4 = (x-2)(x+2) = 0$

나) $a = 1 : x^2 - x - 2 = (x-2)(x+1) = 0$

다) $a = 2 : x^2 - 2x - 3 = (x-3)(x+1) = 0$

라) $a = 3 : x^2 - 3x + 2 = (x-1)(x-2) = 0, \quad x^2 - 3x - 4 = (x-4)(x+1) = 0$

마) $a = 4 : x^2 - 4x + 3 = (x-1)(x-3) = 0, \quad x^2 - 4x - 5 = (x-5)(x+1) = 0$

바) $a = 5 : x^2 - 5x + 4 = (x-1)(x-4) = 0$

따라서 서로 다른 2개의 정수해를 갖는 경우의 수는 9이다.

(2)

상자 B에 들어있는 수는 모두 소수이다. 따라서 $bc = p$또는 $bc = -p$라고 할 수 있다.
이때 이차방정식을 인수분해하여 나타낼 수 있는 경우는 다음 4가지가 있다.

$(x-1)(x-p) = x^2 - (p+1)x + p = 0, \quad (x+1)(x+p) = x^2 + (p+1)x + p = 0$

$(x-1)(x+p) = x^2 - (1-p)x - p = 0, \quad (x+1)(x-p) = x^2 - (p-1)x - p = 0$

x의 계수가 음수이므로 가능한 경우는 다음 2가지이다.

$(x-1)(x-p) = x^2 - (p+1)x + p = 0, \quad x = 1$또는 $x = p$

$(x+1)(x-p) = x^2 - (p-1)x - p = 0, \quad x = -1$또는 $x = p$

상자 B의 3이상 13이하의 소수 p에 대해 상자 A에 $p-1$, $p+1$이 있고,
2에 대해 3은 있고, 1은 없고, 17에 대해 16은 있고, 18은 없으며,
19에 대해 18, 20모두 없다.
그러므로 서로 다른 2개의 정수해를 갖는 경우의 수는 $1 + 5 \times 2 + 1 = 12$이다.
그리고 상자 A, B, C에서 공을 각각 임의로 1개씩의 공을 꺼내는 경우의 수는 $15 \times 8 \times 2 = 240$이다.
따라서 서로 다른 2개의 정수해를 가질 확률은 $\dfrac{1 + 5 \times 2 + 1}{15 \times 8 \times 2} = \dfrac{1}{20}$이다.

[논제 3]

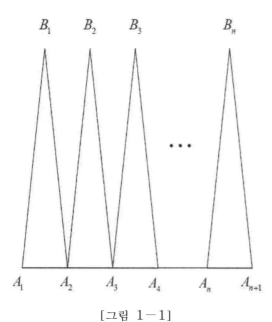 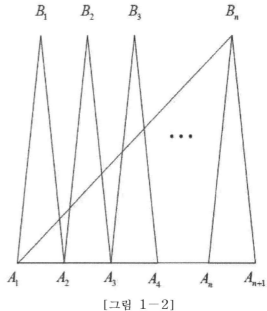

[그림 1-1]   [그림 1-2]

양의 실수 a와 자연수 n에 대하여, 길이가 a인 선분 $A_1 A_{n+1}$위에 합동인 이등변삼각형 n개를 [그림 1-1]과 같이 세워놓았다. 각각의 $i = 1, 2, \cdots, n$에 대하여, 삼각형 $A_i B_i A_{i+1}$는 $\overline{A_i B_i} = \overline{A_{i+1} B_i} = a$인 이등변삼각형이고 선분 $A_i A_{i+1}$은 선분 $A_1 A_{n+1}$위에 있다. 또한 각각의 $i = 1, 2, \cdots, n-1$에 대하여 삼각형 $A_i B_i A_{i+1}$과 삼각형 $A_{i+1} B_{i+1} A_{i+2}$는 한 점 A_{i+1}에서만 만난다. 삼각형들로 둘러싸인 영역을 R_n이라 할 때 다음 물음에 답하시오.

(1) R_n의 넓이 S_n을 a와 n에 관하여 표현하고, $\lim\limits_{n \to \infty} S_n$을 구하시오. 그 근거를 논술하시오.

(2) [그림 1-2]와 같이 점 A_1과 점 B_n을 연결한 선분 $A_1 B_n$으로 R_n을 자를 때, 선분 $A_1 B_n$위에 있는 삼각형들의 넓이의 합을 T_n이라 하자. T_n을 a와 n에 관하여 표현하고, $\lim\limits_{n \to \infty} T_n$을 구하시오. 그 근거를 논술하시오.

---

(1)

이등변삼각형들이 서로 합동이므로 $S_n = $삼각형 $A_1 B_1 A_2$의 넓이 $\times n$이다.

삼각형 $A_1 B_1 A_2$은 $\overline{A_1 B_1} = \overline{A_2 B_1} = a$이고 $\overline{A_1 A_2} = \dfrac{a}{n}$인 이등변삼각형이므로, 각 $A_1 B_1 A_2$를

θ라 하면, 사인법칙에 의해 $\dfrac{\frac{a}{n}}{\sin\theta} = \dfrac{a}{\sin\frac{\pi - \theta}{2}}$이고, $\sin\dfrac{\theta}{2} = \dfrac{1}{2n}$이다.

또한 선분 $A_1 A_{n+1}$의 길이가 a이므로 $0 < \theta \leq \dfrac{\pi}{3}$이고,

$$\sin\theta = 2\sin\frac{\theta}{2}\cos\frac{\theta}{2} = 2\frac{1}{2n}\sqrt{1 - \frac{1}{4n^2}} = \frac{\sqrt{4n^2-1}}{2n^2} \text{이다.}$$

삼각형 $A_1 B_1 A_2$의 넓이 $= \dfrac{1}{2}\overline{A_1 B_1}\,\overline{A_2 B_1}\sin\theta = a^2\dfrac{\sqrt{4n^2-1}}{4n^2}$이고, 따라서

$S_n = a^2\dfrac{\sqrt{4n^2-1}}{4n}$이다. 그러므로 $\displaystyle\lim_{n\to\infty} S_n = \dfrac{a^2}{2}$이다.

(2)

 오른쪽 그림과 같이 각각의 $i = 1, 2, \cdots, n-1$에 대하여, 선분 $A_1 B_n$과 선분 $A_i B_i$가 만나는 점을 C_i라 하면(단, $C_1 = A_1$) 삼각형 $A_1 B_1 B_n$과 삼각형 $C_i B_i B_n$은 닮은 삼각형이므로 닮음비에 의하여 $\overline{A_1 B_1} : \overline{B_1 B_n} = \overline{B_i C_i} : \overline{B_i B_n}$이다.

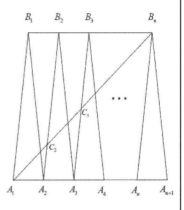

또한 $\overline{A_1 B_1} = a$, $\overline{B_i B_{i+1}} = \dfrac{a}{n}$이므로, $\overline{B_1 B_n} = \dfrac{n-1}{n}a$,

$\overline{B_i B_n} = \dfrac{n-i}{n}a$이다. 이로부터 $\overline{B_i C_i} = \dfrac{n-i}{n-1}a$이다 $\cdots$(a)

 아래의 그림과 같이 $i = 1, 2, \cdots, n-1$에 대하여 선분 $A_1 B_n$과 선분 $A_{i+1} B_i$가 만나는 점을 각각 D_i라 하자. 또한 점 A_1을 지나고 선분 $A_2 B_1$과 평행한 직선이 선분 $B_1 B_n$의 연장선과 만나는 점을 B_0라 하자. 각 $i = 1, 2, \cdots, n-1$에 대하여 삼각형 $A_1 B_0 B_n$과 삼각형 $D_i B_i B_n$은 닮은 삼각형이므로 닮음비에 의하여 $\overline{A_1 B_0} : \overline{B_0 B_n} = \overline{B_i D_i} : \overline{B_i B_n}$이다.

또한 삼각형 $A_1 B_0 B_1$과 삼각형 $A_2 B_1 B_2$는 합동인 삼각형이므로 $\overline{A_1 B_0} = a$이고 $\overline{B_0 B_n} = a$이다.

$\overline{B_i B_n} = \dfrac{n-i}{n}a$이므로 $\overline{B_i D_i} = \dfrac{n-i}{n}a$이다. $\cdots$(b)

한편, [논제 3] (1)에서 각 $A_1 B_1 A_2$를 θ라 하면 $\sin\theta = \dfrac{\sqrt{4n^2-1}}{2n^2}$이므로, (a), (b)에 의하여

삼각형 $B_i C_i D_i$의 넓이 $= \dfrac{1}{2}\overline{B_i C_i}\,\overline{B_i D_i}\sin\theta = \dfrac{1}{2}\dfrac{n-i}{n-1}a \times \dfrac{n-i}{n}a \times \dfrac{\sqrt{4n^2-1}}{2n^2}$

$$= \dfrac{a^2\sqrt{4n^2-1}}{4n^3(n-1)}(n-i)^2 \text{이다.}$$

따라서

$$T_n = \sum_{i=1}^{n-1} \frac{a^2\sqrt{4n^2-1}}{4n^3(n-1)}(n-i)^2 = \frac{a^2\sqrt{4n^2-1}}{4n^3(n-1)}\sum_{i=1}^{n-1}(n-i)^2$$

$$= \frac{a^2\sqrt{4n^2-1}}{4n^3(n-1)}\sum_{i=1}^{n-1}i^2 = \frac{a^2\sqrt{4n^2-1}}{4n^3(n-1)}\frac{(n-1)n(2n-1)}{6} = \frac{(2n-1)\sqrt{4n^2-1}}{24n^2}a^2$$

이고,

$$\lim_{n\to\infty} T_n = \lim_{n\to\infty} \frac{(2n-1)\sqrt{4n^2-1}}{24n^2}a^2 = \frac{a^2}{6}$$

이다.

[논제 4]

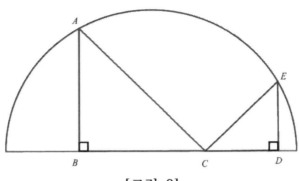

[그림 2]

반지름이 r인 반원과 두 개의 삼각형이 [그림 2]와 같이 주어져 있다. 삼각형 ABC는 $\angle ABC = \frac{\pi}{2}$이고 $\overline{AB} = \overline{BC}$이며, 삼각형 CDE는 $\angle CDE = \frac{\pi}{2}$이고 $\overline{CD} = \overline{DE}$인 직각이등변 삼각형이다. 변 BC와 변 CD는 반원의 지름 위에 있으며, 점 A와 점 E는 반원의 호 위에 있고, 두 삼각형은 한 점 C에서만 만날 때 다음 물음에 답하시오.

(1) 두 삼각형의 넓이의 합의 최댓값을 구하고 그 근거를 서술하시오.
(2) 두 삼각형의 둘레의 길이의 합의 최댓값을 구하고 그 근거를 서술하시오.

(1)

대칭성에 의해 $\overline{AB} \geq \overline{DE}$일 때를 생각하면 충분하다.

오른쪽 그림과 같이 반원의 호를 연장하여 얻은 원에 대하여, 선분 AC의 연장선이 원과 만나는 점을 G, 선분 CE의 연장선이 원과 만나는 점을 F라 하자. 점 E를 지나고 선분 CD에 평행한 직선이 선분 AB와 만나는 점을 H, 이 직선이 원과 만나는 또 하나의 점을 I라 하자.

삼각형 AFI와 삼각형 EFI는 원에 내접하고 변 FI를 공통으로 가지고 있으므로 $\angle IAF = \angle IEF = \frac{\pi}{4}$이다. 따라서 삼각

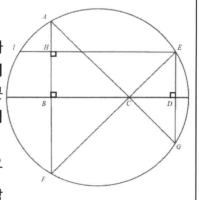

형 AHI는 $\angle AHI = \dfrac{\pi}{2}$이고 $\angle IAH = \dfrac{\pi}{4}$인 직각이등변삼각형이므로 $\overline{AH} = \overline{HI}$이다.

$\overline{AB} = \overline{BC} = a$, $\overline{CD} = \overline{DE} = b$라 하면,

$\overline{HI} = \overline{AH} = a - b$, $\overline{EH} = a + b$이므로 $\overline{EI} = 2a$이고, $\overline{EG} = 2b$이다. 또한 $\angle IEG = \dfrac{\pi}{2}$이므로, 삼각형 IEG는 원에 내접하는 직각삼각형이다.

따라서 선분 GI는 원의 중심을 지나므로 $\overline{GI} = 2r$이며, $(\overline{EI})^2 + (\overline{EG})^2 = (\overline{GI})^2$이다. 따라서 $a^2 + b^2 = r^2$이고, 두 삼각형의 넓이의 합은 $\dfrac{a^2}{2} + \dfrac{b^2}{2} = \dfrac{r^2}{2}$으로 항상 일정하므로, 두 삼각형의 넓이의 합의 최댓값은 $\dfrac{r^2}{2}$이다.

(2)

[논제 4] (1)에서 $a^2 + b^2 = r^2$이고 $a, b \geq 0$이므로 $a = \sqrt{r^2 - b^2}$이다. 따라서 두 삼각형의 둘레의 길이의 합을 b로 표현하면 $f(b) = (2 + \sqrt{2})(b + \sqrt{r^2 - b^2})$이다. 한편 $\overline{CD} = b$일 때, $0 \leq \sqrt{2}b \leq r$이므로, $0 \leq b \leq \dfrac{r}{\sqrt{2}}$이다.

$0 < b < \dfrac{r}{\sqrt{2}}$인 경우 $f'(b) = (2 + \sqrt{2})\left(1 - \dfrac{b}{\sqrt{r^2 - b^2}}\right) > 0$이므로 $f(b)$는 $0 \leq b \leq \dfrac{r}{\sqrt{2}}$에서 증가함수이다. 따라서 $f\left(\dfrac{r}{\sqrt{2}}\right) = (2 + 2\sqrt{2})r$이 최대이고, 두 삼각형의 둘레의 길이의 합의 최댓값은 $(2 + 2\sqrt{2})r$이다.

9. 2021학년도 경희대 수시 논술 (토요일)

논제 [I] 제시문 [가] [마]를 읽고 다음 질문에 답하시오.

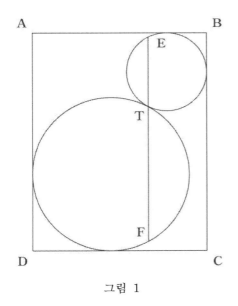

그림 1

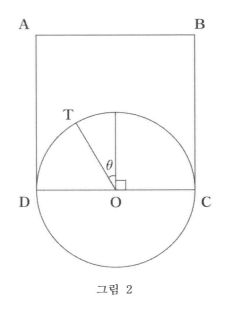

그림 2

[논제 I-1]

[그림 1]과 같이 직사각형 ABCD의 내부에 원 S_1과 원 S_2가 있다. 원 S_1은 선분 AB와 BC에 동시에 접하고 원 S_2는 선분 CD와 AD에 동시에 접하며, 원 S_1과 원 S_2는 한 점 T에서 만난다. 점 T를 지나고 선분 AD에 평행한 직선이 원 S_1, 원 S_2와 만나는 T가 아닌 점들을 각각 E, F라 하자. 선분 AB의 길이가 100이고 선분 EF의 길이가 120일 때, 다음 물음에 답하시오.

(1) 직사각형 ABCD의 넓이를 구하고, 그 근거를 논술하시오.
(2) 두 원의 넓이의 합의 최댓값과 최솟값을 구하시오. 이때 두 원의 반지름의 길이를 각각 구하고, 그 근거를 논술하시오.

---

(1) 그림처럼 원 S_1과 원 S_2의 중심을 각각 O_1과 O_2라 하고, 점 T를 지나고 선분 AB에 평행한 직선이 원 S_1과 S_2와 만나는 점을 각각 G와 H라 하자.

삼각형 O_1ET는 선분 O_1E와 O_1T의 길이가 같은 이등변 삼각형이다. 따라서 O_1을 지나고 선분 AB에 평행한 직선은 선분 ET를 이등분한다. 마찬가지로 O_1을 지나고 선분 BC에 평행한 직선은 선분 GT를 이등분하고, O_2을 지나고 선분 AB에 평행한 직선은 선분 FT를 이등분하며, O_2을 지나고 선분 BC에 평행한 직선은 선분 HT를 이등분한다.

원 S_1과 원 S_2의 반지름을 각각 r_1과 r_2라 하고, $\dfrac{\overline{GH}}{2}=k$라 하면, $\overline{AB}=r_1+r_2+\dfrac{\overline{GH}}{2}$이므로

$$100=r_1+r_2+k \quad \cdots\cdots ①$$

이고,

$$\overline{BC}=r_1+r_2+\frac{\overline{EF}}{2}=r_1+r_2+60 \quad \cdots\cdots ②$$

이다.

①에 의해 두 원의 중심사이의 거리는 $\overline{O_1O_2}=r_1+r_2=100-k$이고, $\overline{O_1O_2}^2=\left(\dfrac{\overline{GH}}{2}\right)^2+\left(\dfrac{\overline{EF}}{2}\right)^2$이므로, $(100-k)^2=k^2+60^2$이다. 따라서,

$$\frac{\overline{GH}}{2}=k=32 \quad \cdots\cdots ③$$

이다.

①과 ③으로부터 $r_1+r_2=68$이므로, ②에 의해 $\overline{BC}=r_1+r_2+60=128$이다. 따라서 사각형 ABCD의 넓이는 12800이다.

(2)

원 S_1과 원 S_2가 사각형 ABCD의 내부에 있으므로, $0 \le r_1 \le 50$이고 $0 \le r_2 \le 50$이다. 또한 (1)에서 $r_1 + r_2 = 68$이므로 $18 \le r_1 \le 50$이고 $18 \le r_2 \le 50$이다.

두 원의 넓이의 합은 $\pi(r_1^2 + r_2^2) = \pi\left[r_1^2 + (68 - r_1)^2\right] = \pi(2r_1^2 - 136r_1 + 4624)$이므로, 이의 최 댓값과 최솟값은 $18 \le r_1 \le 50$에서 함수 $f(r_1) = \pi(2r_1^2 - 136r_1 + 4624)$의 최댓값과 최솟값이 다.

$f'(r_1) = \pi(4r_1 - 136)$이므로, $f'(34) = 0$이다.

$18 < r_1 < 34$일 때 $f'(r_1) < 0$이고, $34 < r_1 < 50$일 때 $f'(r_1) > 0$이므로, $f(r_1)$일 때 최솟값 $f(34) = 2312\pi$을 가진다. 따라서 두 원의 넓이의 합의 최솟값은 2312π이며, 이때 두 원의 반지름은 34로 서로 같다.

$f(r_1)$는 $f(18) = f(50) = 2824\pi$일 때 최대이므로, 두 원의 넓이의 합의 최댓값은 2824π이 며, 이때 두 원의 반지름은 각각 18과 50이다.

[논제 I-2]

넓이가 4인 정사각형 ABCD와 변 CD의 중점 O를 중심으로 하고 반지름의 길이가 1인 원이 있다. [그림 2]와 같이 사각형 ABCD의 내부에 있는 원 위의 한 점을 T라 하자. 점 O에서 시작하고 선분 AB의 중점을 지나는 반직선으로부터 반시계 방향으로 선분 OT까지의 각을 θ라 하고, 점 T에서 원에 접하는 직선을 l이라 할 때, 다음 물음에 답 하시오. (단, $0 \le \theta < \dfrac{\pi}{2}$)

(1) 직선 l이 점 B를 지날 때, $\sin\theta$, $\cos\theta$, $\tan\theta$를 각각 구하고, 그 근거를 논술하시오.

(2) 직선 l이 정사각형 ABCD와 만나는 두 점 사이의 거리를 θ에 관한 함수 $f(\theta)$로 나 타내고, 그 근거를 논술하시오.

(3) [논제 I-2] (2)에서의 $f(\theta)$에 대하여

$$J = \int_0^{\frac{\pi}{4}} (f(\theta)\sin\theta\cos\theta - \cos\theta)d\theta$$

일 때, $\sin J$의 값을 계산하고, 그 과정을 논술하시오.

(1)

그림과 같이 좌표평면의 원점에 원의 중심 O가 위치하고, 네 점 A$(-1, 2)$, B$(1, 2)$, C$(1, 0)$D$(-1, 0)$인 상황을 생각하면, 점 T는 T$(-\sin\theta, \cos\theta)$이다.

T에서 원에 접하는 직선 l이 x축과 만나는 점을 R이라 하면, $\angle\mathrm{ROT} = \dfrac{\pi}{2} - \theta$이므로

∠ORT$=\theta$이다. 따라서 직선 l의 방정식은

$$l : y = (\tan\theta)x + \sec\theta \quad \cdots\cdots ①$$

이다.

직선 l이 B(1, 2)를 지날 때의 θ를 $\alpha\left(0 \le \alpha < \dfrac{\pi}{2}\right)$

라 하면,

①에 의해 $2 = \tan\alpha + \sec\alpha$이므로 $2\cos\alpha = \sin\alpha + 1$

이다. $2\sqrt{1 - \sin^2\alpha} = \sin\alpha + 1$에 의해

$\sin\alpha = \dfrac{3}{5}$, $\cos\alpha = \dfrac{4}{5}$, $\tan\alpha = \dfrac{3}{4}$이다.

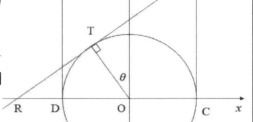

(2)

직선 l이 정사각형 ABCD와 만나는 두 점 중에서 선분 AD와 만나는 점을 P라 하고, 나머지 한 점을 Q라 하자.

i) 직선 l이 선분 BC와 만날 때, [논제 I-2]의 (1)의 결과에 의해 θ의 범위는 $0 \le \theta \le \alpha$이다. 그림과 같이 점 P를 지나고 선분 AB에 평행한 직선이 선분 BC와 만나는 점을 S라 하면, 삼각형 PQS는 선분 PS의 길이가 2이고 ∠QPS가 θ이며 ∠PSQ가 $\dfrac{\pi}{2}$인 직각삼각형이다.

$\cos\theta = \dfrac{2}{\text{PQ}}$이므로, 선분 PQ의 길이는 $2\sec\theta$이다.

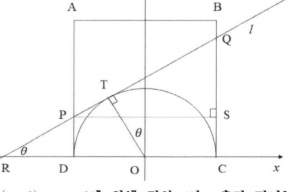

ii) 직선 l이 선분 AB와 만날 때, [논제 I-2]의 (1)의 결과에 의해 θ의 범위는 $\alpha \le \theta < \dfrac{\pi}{2}$이다.

T에서 원에 접하는 직선 l의 방정식 $y = (\tan\theta)x + \sec\theta$에 의해 직선 l이 x축과 만나는 점 R의 좌표는 $(-\csc\theta, \ 0)$이다.

점 Q를 지나고 선분 BC에 평행한 직선이 선분 CD와 만나는 점을 S라 하면, 삼각형 QRS는 선분 QS의 길이가 2이고

∠QRS가 θ이며 ∠QSR이 $\dfrac{\pi}{2}$인 직각삼각형이다. 따라서 $\sin\theta = \dfrac{\overline{\text{QS}}}{\overline{\text{QR}}} = \dfrac{2}{\overline{\text{QR}}}$로부터

$$\overline{\text{QR}} = 2\csc\theta \quad \cdots\cdots ②$$

이다.

삼각형 RPD는 선분 DR의 길이가 $\csc\theta - 1$이고 $\angle \mathrm{PRD}$가 θ이며 $\angle \mathrm{RDP}$가 $\dfrac{\pi}{2}$인

직각삼각형이다. 따라서 $\cos\theta = \dfrac{\overline{\mathrm{DR}}}{\overline{\mathrm{PR}}} = \dfrac{\csc\theta - 1}{\overline{\mathrm{PR}}}$ **로부터**

$$\overline{\mathrm{PR}} = \csc\theta\sec\theta - \sec\theta \ \cdots\cdots \ \text{③}$$

이며, ②과 ③에 의해

$$\overline{\mathrm{PQ}} = \overline{\mathrm{QR}} - \overline{\mathrm{PR}} = 2\csc\theta + \sec\theta - \csc\theta\sec\theta \text{이다.}$$

i)과 ii)에 의해, 함수 $f(\theta)$**는**

$$f(\theta) = \begin{cases} 2\sec\theta & (0 \le \theta \le \alpha) \\ 2\csc\theta + \sec\theta - \csc\theta\sec\theta & \left(\alpha \le \theta < \dfrac{\pi}{2}\right) \end{cases}$$

이다.

(3)

$\tan\theta$**는** $0 \le \theta < \dfrac{\pi}{2}$**에서 증가함수이고, [논제 I-2]의 (1)에 의해** $\tan\alpha = \dfrac{3}{4}$, $\tan\dfrac{\pi}{4} = 1$**이**

므로 $0 \le \alpha \le \dfrac{\pi}{4}$**이다. 따라서**

$$\mathrm{J} = \int_0^{\frac{\pi}{4}} (f(\theta)\sin\theta\cos\theta - \cos\theta)\theta = \int_0^{\alpha} (f(\theta)\sin\theta\cos\theta - \cos\theta)d\theta + \int_{\alpha}^{\frac{\pi}{4}} (f(\theta)\sin\theta\cos\theta - \cos\theta)d\theta$$

$$= \int_0^{\alpha} (2\sin\theta - \cos\theta)d\theta + \int_{\alpha}^{\frac{\pi}{4}} (\cos\theta + \sin\theta - 1)d\theta$$

$$= 2 - \cos\alpha - 2\sin\alpha + \alpha - \dfrac{\pi}{4}$$

이다.

[논제 I-2]의 (1)에서 $\sin\alpha = \dfrac{3}{5}$, $\cos\alpha = \dfrac{4}{5}$**이므로** $\mathrm{J} = \alpha - \dfrac{\pi}{4}$**이고,**

따라서 $\sin J = \sin\left(\alpha - \dfrac{\pi}{4}\right) = \sin\alpha\cos\dfrac{\pi}{4} - \cos\alpha\sin\dfrac{\pi}{4} = -\dfrac{\sqrt{2}}{10}$**이다.**

10. 2021학년도 경희대 수시 논술 (일요일)

[논제 I] 제시문 [가] [마]를 읽고 다음 질문에 답하시오.

[논제 I-1]

자연수 n과 확률 p에 대하여 이산확률변수 X가 가질 수 있는 값은 0부터 n까지 음이 아닌 정수 이며, X의 확률질량함수는

$$\mathrm{P}(X = k) = {}_n\mathrm{C}_k p^k q^{n-k} \ (q = 1 - p, \ k = 0, \ 1, \ \cdots, \ n)$$

이다. X의 평균과 표준편차를 각각 m과 σ라 할 때, 다음 조건들이 성립한다.

(ㄱ) $n \geq 60$, $0.1 \leq p \leq 0.5$ (ㄴ) $m\sigma = 80$ (ㄷ) $P\left(|X-m| \geq \dfrac{2}{5}\ m\right) = 0.0456$

이때, n과 p를 구하고, 그 근거를 논술하시오. (단, Z가 표준정규분포를 따르는 확률변수일 때, $P(0 \leq Z \leq 1) = 0.3413$, $P(0 \leq Z \leq 2) = 0.4772$, $P(0 \leq Z \leq 3) = 0.4987$로 계산한다.)

주어진 이산확률변수 X의 확률질량함수로부터 X는 이항분포 $B(n,\ p)$를 따른다. 따라서 X의 평균은 $m = np$이고 표준편차는 $\sigma = \sqrt{np(1-p)}$이다.

$n \geq 60$, $0.1 \leq p \leq 0.5$에서 $np \geq 5$, $np(1-p) \geq 5$이므로 X는 근사적으로 정규분포 $N(np,\ np(1-p))$를 따른다. 따라서

$$P\left(|X-m| \geq \frac{2}{5}\ m\right) = P\left(\frac{|X-m|}{\sigma} \geq \frac{2\ m}{5\sigma}\right) = P\left(|Z| \geq \frac{2\ m}{5\sigma}\right) = 0.0456$$

이고 $P(|Z| \geq 2) = 1 - 2P(0 \leq Z \leq 2) = 0.0456$에서 $\dfrac{2m}{5\sigma} = 2$이다. 따라서 $m = 5\sigma$이고 $m\sigma = 80$에서 $m = 20$, $\sigma = 4$이므로 $np = 20$, $np(1-p) = 16$이다. 따라서, $n = 100$, $p = 0.2$이다.

[논제 I-2]

[그림 1]과 같이 점 O에서 시작하는 세 반직선 l, m, n이 있다. 두 반직선 m과 n이 이루는 각의 크기는 θ, 두 반직선 l과 m이 이루는 각의 크기는 2θ, 두 반직선 l과 n이 이루는 각의 크기는 3θ이다. 원 C_1은 반직선 l과 점 P에서 접하고 반직선 m과 점 Q에서 접한다. 선분 OP의 길이는 1이며 원 C_1의 중심 O_1과 점 Q를 지나는 직선은 반직선 n과 점 R에서 만난다. 삼각형 O_1PR의 넓이를 $S(\theta)$라 할 때, $\displaystyle\int_{\frac{\pi}{6}}^{\frac{\pi}{4}} S(\theta)d\theta$의 값을 구하고, 그 과정을 논술하시오. $\left(\text{단, } 0 < \theta < \dfrac{\pi}{3}\right)$

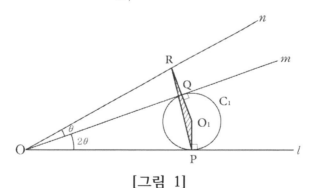

[그림 1]

$\triangle OO_1P$와 $\triangle OO_1Q$는 합동이므로 $\angle O_1OP = \angle O_1OQ = \theta$이고 $\overline{PO_1} = \overline{QO_1} = \tan\theta$이다. 또한, $\triangle OO_1Q$와 $\triangle ORQ$는 선분 OQ를 공유하고 $\angle O_1OQ = \angle ROQ = \theta$, $\angle OQO_1 = \angle OQR = \dfrac{\pi}{2}$이므로 합동이다. $\overline{O_1Q} = \overline{RQ} = \tan\theta$에서 $\overline{O_1R} = 2\tan\theta$이고

$\angle \mathrm{OO_1P} = \angle \mathrm{OO_1Q} = \dfrac{\pi}{2} - \theta$**이다. 즉,** $\angle \mathrm{PO_1R} = \pi - 2\theta$**이다.**

사인법칙에 의해 삼각형 $\mathrm{O_1PR}$**의 넓이는** $S(\theta) = \dfrac{1}{2}\overline{\mathrm{O_1P}} \cdot \overline{\mathrm{O_1R}} \cdot \sin(\angle \mathrm{PO_1R}) = \tan^2\theta \sin 2\theta$

이고 $\sin^2\theta + \cos^2\theta = 1$, $\sin 2\theta = 2\sin\theta\cos\theta$**이므로,**

$$\int_{\frac{\pi}{6}}^{\frac{\pi}{4}} S(\theta)d\theta = \int_{\frac{\pi}{6}}^{\frac{\pi}{4}} \tan^2\theta \sin 2\theta \, d\theta = 2\int_{\frac{\pi}{6}}^{\frac{\pi}{4}} \frac{\sin^2\theta}{\cos^2\theta}\sin\theta\cos\theta \, d\theta = 2\int_{\frac{\pi}{6}}^{\frac{\pi}{4}} \frac{1-\cos^2\theta}{\cos\theta}\sin\theta \, d\theta$$**이다.**

$t = \cos\theta$**로 치환하면**

$$\int_{\frac{\pi}{6}}^{\frac{\pi}{4}} S(\theta)d\theta = -2\int_{\frac{\sqrt{3}}{2}}^{\frac{\sqrt{2}}{2}} \frac{1-t^2}{t}dt = -2\left[\ln t - \frac{t^2}{2}\right]_{\frac{\sqrt{3}}{2}}^{\frac{\sqrt{2}}{2}} = \ln 3 - \ln 2 - \frac{1}{4} = \ln\frac{3}{2} - \frac{1}{4}$$**이다.**

[논제 I-3]

실수 전체의 집합에서 미분가능하며 양의 값을 가지는 함수 $f(x)$가 모든 실수 x, y에 대하여

$$f(x+y) = f(x)f(y)e^{2xy}, \quad f'(0) = 0$$

을 만족시킬 때, 다음 물음에 답하시오.

① $f(x)$을 구하고, 그 근거를 논술하시오.

② 양의 실수 전체의 집합에서 미분가능한 함수 $g(x)$가 모든 실수 x에 대하여

$$g'(f(x))f'(x) = 2x(1+2x^2)f(\sqrt{2}\,x), \quad g(1) = 0$$

을 만족시킨다. 이때 $g(e)$의 값을 구하고, 그 근거를 논술하시오.

(3) 실수 전체의 집합에서 연속인 함수 $h(x)$가 $\displaystyle\int_0^x tf(x-t)h(x-t)dt = f(x) - 1$을 만족시

킨다. 곡선 $y = h(x)$위의 점 $(a, h(a))$에서의 접선과 수직이며 점 $(a, h(a))$를 지나는 직선이 x축과 만나는 점을 $(49, 0)$라 할 때 a의 값을 구하고, 그 근거를 논술하시오.

(1)

$f(x)$가 양의 값을 가지므로 $x = y = 0$을 대입하면 $f(0) = 1$이다.

식 $f(x+y) = f(x)f(y)e^{2xy}$양변에 $\ln$을 취하고 $P(x) = \ln f(x)$라고 하면 $P(x)$는

$$P(x+y) = P(x) + P(y) + 2xy \quad \cdots\cdots \ ①$$

과 $P'(0) = \dfrac{f'(0)}{f(0)} = 0$, $P(0) = \ln f(0) = 0$을 만족한다. ①식에 $y = h$을 대입하면

$\dfrac{P(x+h) - P(x)}{h} = 2x + \dfrac{P(h)}{h}$에서 $P(x)$가 미분가능하고 $P'(0) = 0$이므로 h가 0으로 가는

극한을 생각하면

$$\lim_{h \to 0}\frac{P(x+h) - P(x)}{h} = 2x + \lim_{h \to 0}\frac{P(h)}{h} = 2x + \lim_{h \to 0}\frac{P(h) - P(0)}{h - 0} = 2x + P'(0) = 2x$$에서

$P'(x) = 2x$이고 $P(0) = 0$이므로 $P(x) = \ln f(x) = x^2$이 된다. 따라서 $f(x) = e^{x^2}$이다.

(2)

$f(x) = e^{x^2}$**이므로** $g'(f(x))f'(x) = 2x(1+2x^2)e^{2x^2}$**이다. 치환적분을 이용한 정적분에 의해** $f(0) = 1$, $g(1) = 0$**에서**

$$g(f(x)) = g(f(x)) - g(f(0)) = \int_0^x g'(f(t))f'(t)dt = 2\int_0^x t(1+2t^2)e^{2t^2}dt$$

이다. $f(1) = e$**이므로** $g(e) = 2\int_0^1 t(1+2t^2)e^{2t^2}dt$**이다.**

$y = f(t) = e^{t^2}$**으로 치환하면** $1+2t^2 = 1+2\ln y$, $\dfrac{dy}{dt} = 2te^{t^2}$**이므로**

$$g(e) = 2\int_0^1 t(1+2t^2)e^{2t^2}dt = \int_0^1 e^{t^2}(1+2t^2)2te^{t^2}dt = \int_1^e y(1+2\ln y)dy$$

을 얻는다.

정적분에 대한 부분적분법에 의해서 $\displaystyle\int_1^e y\ln y\,dy = \left[\dfrac{y^2}{2}\ln y\right]_1^e - \int_1^e \dfrac{y}{2}dy$**이므로**

$$g(e) = 2\int_1^e y\ln y\,dy + \int_1^e y\,dy = 2\left[\dfrac{y^2}{2}\ln y\right]_1^e = e^2$$ **이다.**

(3)

$s = x - t$**라고 하면** $\displaystyle\int_0^x tf(x-t)h(x-t)dt = \int_0^x (x-s)f(s)h(s)ds = f(x) - 1$**에서**

$f(x) = e^{x^2}$**이므로**

$$\int_0^x (x-t)e^{t^2}h(t)dt = e^{x^2} - 1 \quad \cdots\cdots ②$$

이다. $\displaystyle\int_0^x (x-t)e^{t^2}h(t)dt = x\int_0^x e^{t^2}h(t)dt - \int_0^x te^{t^2}h(t)dt$**에서 ②의 양변을** x**로 미분하면**

$\displaystyle\int_0^x e^{t^2}h(t)dt = 2xe^{x^2}$**이고, 이 식을 다시** x**로 미분하면** $e^{x^2}h(x) = (4x^2+2)e^{x^2}$**에서**

$h(x) = 4x^2 + 2$**이다.** $y = h(x)$ **위의 점** $(a, h(a))$**에서 접선의 기울기는** $h'(a) = 8a$**이므로**

이 접선에 수직인 직선의 기울기는 $-\dfrac{1}{8a}$**이다. 기울기가** $-\dfrac{1}{8a}$**이며**

점 $(a, h(a)) = (a, 4a^2+2)$**을 지나는 직선의 방정식은**

$y = -\dfrac{1}{8a}(x-a) + 4a^2 + 2 = -\dfrac{1}{8a}x + 4a^2 + \dfrac{17}{8}$**이고 이 직선이** x**축과 만나는 점이** $(49, 0)$

이므로 a**는** $32a^3 + 17a - 49 = 0$**을 만족한다. 따라서**

$$32a^3 + 17a - 49 = (a-1)(32a^2 + 32a + 49), \quad 32a^2 + 32a + 49 = 32\left(a + \dfrac{1}{2}\right)^2 + 41 > 0$$

에서 $a = 1$**이다.**

11. 2021학년도 경희대 모의 논술

[논제 I] 제시문 [가] [마]를 읽고 다음 질문에 답하시오.

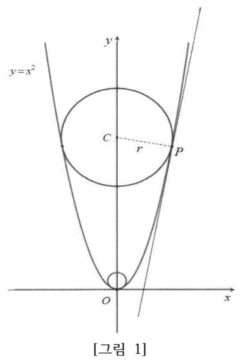

[그림 1]

[논제 I-1] [그림 1]과 같이 곡선 $y = x^2$ 위의 점 P를 지나고 y축 위의 점 $C(0, b)$를 중심으로 하며, 점 P에서의 접선이 곡선 $y = x^2$의 접선과 일치하는 원이 있다. 원의 반지름을 r이라 했을 때, 다음 물음에 답하시오 (단, $b, r > 0$).

(1) 점 P의 좌표가 $\left(\dfrac{\sqrt{3}}{2}, \dfrac{3}{4} \right)$일 때, 원의 중심 $C(0, b)$와 원의 반지름 r을 구하고 그 근거를 논술하시오.

(2) 원과 곡선 $y = x^2$이 한 점에서 만나기 위한 r의 범위와 두 점에서 만나기 위한 r의 범위를 각각 구하고 그 근거를 서술하시오.

---

(1)

함수 $f(x) = x^2$의 도함수는 $f'(x) = 2x$이므로, 곡선 $y = x^2$ 위의 점 $P\left(\dfrac{\sqrt{3}}{2}, \dfrac{3}{4} \right)$에서 접하는 접선을 l이라 하면 기울기는 $f'\left(\dfrac{\sqrt{3}}{2} \right) = \sqrt{3}$이다. 따라서 접선 l의 방정식은 $y - \dfrac{3}{4} = \sqrt{3}\left(x - \dfrac{\sqrt{3}}{2} \right)$이고 이는 원의 접선이기도 하다. 그러므로 원의 중심 $C(0, b)$는 $P\left(\dfrac{\sqrt{3}}{2}, \dfrac{3}{4} \right)$를 지나고 l에 수직인 직선 m이 y축과 만나는 점이다.

---

m의 방정식은 $y-\dfrac{3}{4}=-\dfrac{1}{\sqrt{3}}\left(x-\dfrac{\sqrt{3}}{2}\right)$이고, m의 y절편은 $\dfrac{5}{4}$이다. 따라서 $b=\dfrac{5}{4}$이고 $C\left(0,\ \dfrac{5}{4}\right)$이고, 원의 반지름은 $C\left(0,\ \dfrac{5}{4}\right)$와 $P\left(\dfrac{\sqrt{3}}{2},\ \dfrac{3}{4}\right)$사이의 거리인 $r=1$이다.

(2)

원의 중심 $C(0,\ b)$와 곡선 $y=x^2$위의 점들 사이의 거리 중 최소값이 원의 반지름 r이 된다. 따라서, 곡선 위의 점 $Q(x,\ x^2)$에서 $C(0,\ b)$까지의 거리 $\overline{CQ}=\sqrt{x^2+\left(x^2-b\right)^2}$에 대하여, $f(x)=\overline{CQ}^2=x^2+\left(x^2-b\right)^2$라 하면 $f(x)$의 최솟값이 r^2이다.

도함수 $f'(x)=4x\left(x^2-b+\dfrac{1}{2}\right)$에 대하여,

a) $0<b\le\dfrac{1}{2}$일 때, $f'(x)=4x\left(x^2-b+\dfrac{1}{2}\right)=0$인 경우는 $x=0$뿐이며, $x<0$일 때 $f'(x)<0$이고, $x>0$일 때 $f'(x)>0$이다. 그러므로 $f(x)$는 $x=0$일 때 최솟값 $f(0)=b^2$을 가진다. 즉, $r^2=f(0)=b^2$이고 $b,\ r\ge0$이므로, $b=r$이다.

따라서, $0<r\le\dfrac{1}{2}$인 경우 원과 곡선 $y=x^2$은 $x=0$일 때 한점, $O(0,\ 0)$에서 만난다.

b) $b>\dfrac{1}{2}$일 때, $f'(x)=4x\left(x^2-b+\dfrac{1}{2}\right)=0$인 경우는 $x=0$과 $x=\pm\sqrt{b-\dfrac{1}{2}}$이다.

x		$-\sqrt{b-\dfrac{1}{2}}$		0		$\sqrt{b-\dfrac{1}{2}}$	
$f'(x)$	$-$	0	$+$	0	$-$	0	$+$
$f(x)$	↘	$b-\dfrac{1}{4}$	↗		↘	$b-\dfrac{1}{4}$	↗

위의 증감표에 의해 $f(x)$는 $x=\pm\sqrt{b-\dfrac{1}{2}}$에서 최솟값 $f\left(\pm\sqrt{b-\dfrac{1}{2}}\right)=b-\dfrac{1}{4}$을 가지고, $r^2=f\left(\pm\sqrt{b-\dfrac{1}{2}}\right)=b-\dfrac{1}{4}$이다.

따라서, $b>\dfrac{1}{2}$인 경우는 $r^2>\dfrac{1}{4}$, 즉 $r>\dfrac{1}{2}$인 경우이며, 이때 원과 곡선 $y=x^2$은 두 점 $\left(\pm\sqrt{r^2-\dfrac{1}{4}},\ r^2-\dfrac{1}{4}\right)$에서 만난다.

[논제 I-2] [그림 2]와 같이 16개의 교차로 지점이 있는 정사각형 도로망이 있다. 이웃한 두 지점 사이의 거리는 모두 1이다.

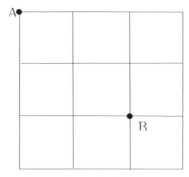

[그림 2]

(1) 임의의 서로 다른 두 교차로 지점을 선택했을 때 두 지점 사이 최단 경로의 수가 될 수 있는 자연수를 모두 구하고, 그 근거를 논술하시오. 예를 들어, 지점 A와 지점 B사이의 최단 경로의 수는 6이다.

(2) 도로망에서 지점 A를 지날 수 없다고 가정하자. 지점 A를 제외하고 서로 다른 두 교차로 지점을 선택했을 때 두 지점 사이 최단 경로의 수가 6이상이 될 확률을 구하고, 그 근거를 논술하시오.

---

(1)

 임의의 두 지점의 가로 거리를 m, 세로 거리를 n이라고 하자.

1) $m=0$인 경 우

서로 다른 두 지점이므로 n은 1, 2, 3이 될 수 있으며,

(제시문 [마]를 이용하면) 각각의 경우 최단 경로의 수는 1, 1, 1이다.

2) $m=1$인 경 우

n은 0, 1, 2, 3이 될 수 있으며, 각각의 경우 최단 경로의 수는 1, 2, 3, 4이다.

3) $m=2$인 경우

n은 0, 1, 2, 3이 될 수 있으며, 각각의 경우 최단 경로의 수는 1, 3, 6, 10이다.

3) $m=3$인 경우

n은 0, 1, 2, 3이 될 수 있으며, 각각의 경우 최단 경로의 수는 1, 4, 10, 20이다.

따라서 최단 경로의 수가 될 수 있는 자연수는 1, 2, 3, 4, 6, 10, 20이다.

(2)

(1)에서 계산한 결과를 보면, 두 지점 사이 최단 경로의 수가 6이상인 경우는 두 지점의 가로, 세로 거리가 각각 2, 2또는 2, 3또는 3, 2또는 3, 3인 경우이다.

1) 2, 2인 경우

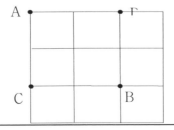

가로, 세로가 각각 2, 2인 정사각형이 4개 있으므로 8가지 경우가 있다.

이때 지점 A를 제외해야 하므로 A와 B사이 최단 경로는 제외된다.

또한 C와 D사이 최단 경로의 수는 A를 지나는 경로가 제외되어 5가지이므로, C와 D사이 최단 경로도 제외된다.

따라서 최단 경로의 수가 6이상인 경우는 6가지이다.

2) 2, 3인 경우

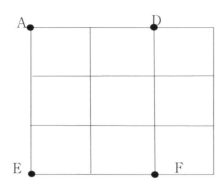

가로, 세로가 각각 2, 3인 직사각형이 2개 있으므로 4가지 경우가 있다.

1)과 마찬가지로 A와 F사이 최단 경로는 제외된다.

또한 D와 E사이 최단 경로의 수는 A를 지나는 경로가 제외되어도 9가지이므로, 6이상이 되어 D와 E사이 최단 경로는 포함된다.

따라서 최단 경로의 수가 6이상인 경우는 3가지이다.

3) 3, 2인 경우

2, 3인 경우와 마찬가지이므로 3가지이다.

4) 3, 3인 경우

전체 정사각형에서 A를 포함하지 않는 대각선의 경우 1가지가 있다.

이때 최단 경로의 수는 A를 지나는 경로가 제외되어도 19가지이므로 포함된다.

따라서 최단 경로의 수가 6이상인 경우는 1가지이다.

그러므로 최단 경로의 수가 6이상인 경우는 $6+3+3+1=13$이고,

A를 제외하고 임의의 서로 다른 두 지점을 선택하는 경우의 수는 $\dfrac{15 \times 14}{2}=105$이므로,

두 지점 사이 최단 경로의 수가 6이상이 될 확률은 $\dfrac{13}{105}$이다.

12. 2020학년도 경희대 수시 논술 (토요일)

[논제 I] 제시문 [가] [마]를 읽고 다음 질문에 답하시오.

그림과 같이 원 S_2는 원 $S_1 : x^2+y^2=r^2 (r>0)$의 내부에서 x축과 접하고, 제 1사분면 위의 점 P에서 원 S_1과 접한다. 원 S_2의 중심을 C라 하고 점 C에서 x축에 내린 수선의 발을 Q라 하자. (단, O는 원점)

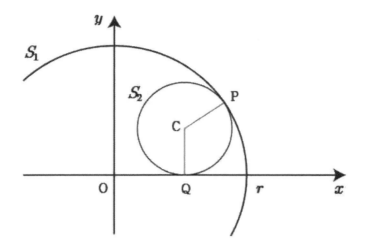

[논제 I-1]

$r=1$일 때 원 S_1위의 점 $P\left(\dfrac{\sqrt{3}}{2},\ \dfrac{1}{2}\right)$에서의 접선을 l이라 하자. 접선 l이 x축과 만나는 점을 D라 할 때, 두 점 C와 D를 지나는 직선의 방정식을 구하고, 그 근거를 논술하시오.

[논제 I-2]

① $0<a<r$인 점 $P\left(a,\ \sqrt{r^2-a^2}\right)$에 대하여, 점 C의 x좌표와 y좌표를 a에 관한 함수 $g(a)$와 $h(a)$로 각각 나타내고, 그 근거를 논술하시오.

② 극한값 $\displaystyle\lim_{a\to 0+} g(a),\ \lim_{a\to 0+} h(a),\ \lim_{a\to r-} g(a),\ \lim_{a\to r-} h(a)$를 구하고, 그 근거를 논술하시오.

[논제 I-3]

점 C가 그리는 곡선과 x축 그리고 y축으로 둘러싸인 영역 A의 넓이를 $\alpha(r)$이라 하자. 영역 A의 내부에 있고 각 변이 x축 또는 y축에 평행한 직사각형의 넓이의 최댓값을 $\beta(r)$이라 할 때, $\alpha(r)$과 $\beta(r)$을 각각 구하고, 그 근거를 논술하시오.

[논제 I-4]

① 삼각형 CPQ를 밑면으로 하고 높이가 선분 OC의 길이와 같은 삼각기둥을 만들었을 때, 이 삼각기둥의 부피의 최댓값을 구하고, 그 근거를 논술하시오.

② $r\ge 2$이고 $0<x<r$일 때, 점 Q의 좌표가 $(x,\ 0)$인 삼각형 CPQ의 넓이를 $S(x)$라 하자. 닫힌 구간 $\left[\dfrac{1}{\sqrt{r}},\ \sqrt{\dfrac{2}{r}}\right]$의 임의의 점 x에서 x축에 수직인 평면으로 자른 단면의 넓

이가 $S(x)$인 입체도형의 부피가 $V(r)$일 때, 극한값 $\lim\limits_{r \to \infty} V(r)$을 구하고, 그 근거를 논술하시오.

[논제 I-1]

점 P는 함수 $f(x)=\sqrt{1-x^2}$ $(0<x<1)$의 그래프 위의 점이고, $f'(x)=-\dfrac{x}{\sqrt{1-x^2}}$이다. 접선 l은 기울기가 $f'\left(\dfrac{\sqrt{3}}{2}\right)=-\sqrt{3}$, 점 $\mathrm{P}\left(\dfrac{\sqrt{3}}{2},\ \dfrac{1}{2}\right)$을 지나는 직선 $y=-\sqrt{3}\,x+2$이다. 따라서 점 D의 좌표는 $\left(\dfrac{2\sqrt{3}}{3},\ 0\right)$이다.

$\triangle \mathrm{CPD}$, $\triangle \mathrm{CQD}$, $\triangle \mathrm{OPD}$를 생각하자. $\triangle \mathrm{CPD}$와 $\triangle \mathrm{CQD}$는 합동인 직각삼각형이므로 선분 CD는 $\angle \mathrm{PDO}$의 이등분선 위에 있다. 직선 l의 기울기가 $-\sqrt{3}$이므로, $\triangle \mathrm{OPD}$에서 $\angle \mathrm{PDO}=\dfrac{\pi}{3}$이고 따라서 $\angle \mathrm{CDQ}=\dfrac{\pi}{6}$이다. 그러므로 두 점 C와 D를 지나는 직선은 기울기가 $-\tan\dfrac{\pi}{6}=-\dfrac{\sqrt{3}}{3}$, 점 $\mathrm{D}\left(\dfrac{2\sqrt{3}}{3},\ 0\right)$을 지나는 직선 $y=-\dfrac{\sqrt{3}}{3}\,x+\dfrac{2}{3}$이다.

[논제 I-2]

① 점 P는 함수 $f(x)=\sqrt{r^2-x^2}$ $(0<x<r)$의 그래프 위의 점이고, $f'(x)=-\dfrac{x}{\sqrt{r^2-x^2}}$이므로 점 $\mathrm{P}\left(a,\ \sqrt{r^2-a^2}\right)(0<a<r)$에서 원 S_1에 접하는 접선 l의 기울기는 $f'(a)=-\dfrac{a}{\sqrt{r^2-a^2}}$이다. 따라서 원 S_2의 중심 C는 점 P에서 l에 수직인 직선 $y=\dfrac{\sqrt{r^2-a^2}}{a}\,x$위에 있으며, $\overline{\mathrm{CP}}=\overline{\mathrm{CQ}}$인 점이다. 점 C의 좌표를 $\left(x,\ \dfrac{\sqrt{r^2-a^2}}{a}\,x\right)(0<x<a)$라 하면,

$$\overline{\mathrm{CP}}^2=(x-a)^2+\left(\dfrac{\sqrt{r^2-a^2}}{a}\,x-\sqrt{r^2-a^2}\right)^2,\quad \overline{\mathrm{CQ}}^2=\dfrac{r^2-a^2}{a^2}\,x^2$$

이다. $\overline{\mathrm{CP}}^2=\overline{\mathrm{CQ}}^2$이므로 $x^2-\dfrac{2r^2}{a}\,x+r^2=0$이고, $x=\dfrac{r^2+r\sqrt{r^2-a^2}}{a}$ 또는 $x=\dfrac{r^2-r\sqrt{r^2-a^2}}{a}$이다. $0<x<a$이므로 $x=\dfrac{r^2-r\sqrt{r^2-a^2}}{a}$이다.

따라서 $g(a)=\dfrac{r^2-r\sqrt{r^2-a^2}}{a}$, $h(a)=\left(\dfrac{\sqrt{r^2-a^2}}{a}\right)\left(\dfrac{r^2-r\sqrt{r^2-a^2}}{a}\right)$이다.

② 극한값을 구하면

$$\lim_{a \to 0+} g(a) = \lim_{a \to 0+} \frac{r^2 - r\sqrt{r^2 - a^2}}{a} = \lim_{a \to 0+} \frac{r}{a}\left(r - \sqrt{r^2 - a^2}\right) = \lim_{a \to 0+} \frac{r}{a} \cdot \frac{a^2}{\left(r + \sqrt{r^2 - a^2}\right)} = 0$$

$$\lim_{a \to r-} g(a) = \lim_{a \to r-} \frac{r^2 - r\sqrt{r^2 - a^2}}{a} = r$$

$$\lim_{a \to r-} h(a) = \lim_{a \to r-} \frac{r\sqrt{r^2 - a^2}\left(r - \sqrt{r^2 - a^2}\right)}{a^2} = 0$$

[논제 I-3]

[논제 I-2] (1)에 의해, 점 C의 좌표를 (x, y)라 하면 $0 < a < r$인 경우, $x = \dfrac{r^2 - r\sqrt{r^2 - a^2}}{a}$ 이고, 이때 x의 범위는 $0 < x < r$이다. 여기서 $x^2 - \dfrac{2r^2}{a}x + r^2 = 0$이므로,

$$a = \frac{2r^2 x}{r^2 + x^2} \ (0 < x < r) \ \cdots\cdots \ ①$$

이다. 마찬가지로, [논제 I-2] (1)에 의해,

$$y = \left(\frac{\sqrt{r^2 - a^2}}{a}\right)\left(\frac{r^2 - r\sqrt{r^2 - a^2}}{a}\right) = \frac{\sqrt{r^2 - a^2}}{a}x \ \cdots\cdots \ ②$$

이므로 ①, ②에 의해 점 C의 좌표 (x, y)는 $0 < x < r$에서 식 $y = \dfrac{r^2 - x^2}{2r}$ 을 만족한다.

따라서 영역 A의 넓이는 $\alpha(r) = \displaystyle\int_0^r \frac{r^2 - x^2}{2r}\,dx = \frac{r^2}{3}$ 이다.

영역 A의 내부에서 두변이 각각 x축과 y축에 평행한 직사각형의 넓이가 최대가 되는 경우, 직 사각형의 두변은 각각 x축과 y축 위에 있고, 한 꼭짓점은 점 C가 그리는 곡선 위에 있다. 점 C의 좌표가 $\left(x, \dfrac{r^2 - x^2}{2r}\right)(0 < x < r)$일 때 직사각형의 넓이를 $f(x)$라 하면,

$f(x) = x \times \dfrac{r^2 - x^2}{2r}$ 이고 $f'(x) = \dfrac{r}{2} - \dfrac{3x^2}{2r}$ 이다. $f'(x) = 0$인 $x = \pm\dfrac{r}{\sqrt{3}}$ 에서 $0 < x < r$인 것은 $x = \dfrac{r}{\sqrt{3}}$ 이다. $0 < x < \dfrac{r}{\sqrt{3}}$ 에서 $f'(x) > 0$이고, $\dfrac{r}{\sqrt{3}} < x < r$에서 $f'(x) < 0$이므로 제시문[마]에 의해 $f(x)$는 $x = \dfrac{\sqrt{3}r}{3}$ 에서 최댓값 $\dfrac{\sqrt{3}r^2}{9}$ 을 가진다. 따라서 $\beta(r) = \dfrac{\sqrt{3}r^2}{9}$ 이다.

[논제 I-4]

① $0 < x < r$인 x에 대하여 $C\left(x, \dfrac{r^2 - x^2}{2r}\right)$, $P\left(a, \sqrt{r^2 - a^2}\right)$, $Q(x, 0)$이고, [논제 I-3]의

식 ① 로부터 $P\left(\dfrac{2r^2x}{r^2+x^2},\ \dfrac{r(r^2-x^2)}{r^2+x^2}\right)$ 이다.

$(\triangle CPQ$의 넓이$)=(\triangle OPQ$의 넓이$)-(\triangle OCQ$의 넓이$)$

$$=\frac{1}{2}\times x\times\frac{r(r^2-x^2)}{r^2+x^2}-\frac{1}{2}\times x\times\frac{r^2-x^2}{2r}$$

따라서 $\triangle CPQ$의 넓이는 $\dfrac{x(r^2-x^2)^2}{4r(r^2+x^2)}$ 이다. $\overline{OC}=\sqrt{x^2+\left(\dfrac{r^2-x^2}{2r}\right)^2}=\dfrac{r^2+x^2}{2r}$ 이므로,

삼각기둥의 부피는 $\dfrac{x(r^2-x^2)^2}{4r(r^2+x^2)}\times\dfrac{r^2+x^2}{2r}=\dfrac{x(r^2-x^2)^2}{8r^2}$ 이다.

삼각기둥의 부피를 $f(x)$라 하면 $f'(x)=\dfrac{(\sqrt{5}x+r)(\sqrt{5}x-r)(x+r)(x-r)}{8r^2}$ 이고, $0<x<r$

에서 $f'(x)=0$을 만족하는 x는 $\dfrac{r}{\sqrt{5}}$ 이다. $0<x<\dfrac{r}{\sqrt{5}}$ 에서 $f'(x)>0$이고,

$\dfrac{r}{\sqrt{5}}<x<r$에서 $f'(x)<0$이므로, 제시문[마]에 의해 $f(x)=\dfrac{x(r^2-x^2)^2}{8r^2}$ 는 $x=\dfrac{r}{\sqrt{5}}$ 일

때 최대이고, 부피의 최댓값은 $f\left(\dfrac{r}{\sqrt{5}}\right)=\dfrac{2\sqrt{5}\,r^3}{125}$ 이다

(2) [논제 I-4] (1)에 의해, $S(x)=\dfrac{x(r^2-x^2)^2}{4r(r^2+x^2)}$ 이므로, 제시문[라]에 의해 입체도형의

부피는 $V(r)=\displaystyle\int_{\frac{1}{\sqrt{r}}}^{\sqrt{\frac{2}{r}}}\dfrac{x(r^2-x^2)^2}{4r(r^2+x^2)}dx$이다. $r^2+x^2=u$로 놓으면 $\dfrac{du}{dx}=2x$이고

$r^2+\dfrac{1}{r}\le u\le r^2+\dfrac{2}{r}$ 이므로

$V(r)=\displaystyle\int_{\frac{1}{\sqrt{r}}}^{\sqrt{\frac{2}{r}}}\dfrac{x(r^2-x^2)^2}{4r(r^2+x^2)}dx=\int_{r^2+\frac{1}{r}}^{r^2+\frac{2}{r}}\dfrac{(2r^2-u)^2}{8ru}du=\left[\dfrac{r^3}{2}\ln u-\dfrac{r}{2}u+\dfrac{u^2}{16r}\right]_{r^2+\frac{1}{r}}^{r^2+\frac{2}{r}}$

$=\dfrac{r^3}{2}\ln\left(1+\dfrac{1}{r^3+1}\right)+\dfrac{3}{16r^3}-\dfrac{3}{8}$

$t=r^3+1$로 놓으면,

$\displaystyle\lim_{r\to\infty}V(r)=\lim_{r\to\infty}\left\{\dfrac{r^3}{2(r^3+1)}\ln\left(1+\dfrac{1}{r^3+1}\right)^{r^3+1}+\dfrac{3}{16r^3}-\dfrac{3}{8}\right\}$

$=\displaystyle\lim_{t\to\infty}\left\{\dfrac{t-1}{2t}\ln\left(1+\dfrac{1}{t}\right)^{t}+\dfrac{3}{16(t-1)}-\dfrac{3}{8}\right\}$

$=\dfrac{1}{8}$

13. 2020학년도 경희대 수시 논술 (토요일)

[논제 I-1]

[그림 1]과 같이 $a > 1$이고 사각형 R은 꼭짓점이 $(1, 1)$, $(-1, 1)$, $(-1, -1)$, $(1, -1)$인 정사각형이다. 직선 l이 $(1, 1)$을 지날 때의 θ를 θ_0이라 하자. $0 \le \theta < \theta_0$일 때, 직선 l과 정 사각형 R은 서로 다른 두 점에서 만나고 이 두 점을 A와 B라 하자. (단, A의 x좌표가 B의 x좌표보다 크다.) $\theta = \theta_0$인 경우 한 점에서 만나므로 점 A와 B모두 $(1, 1)$이라 하자.

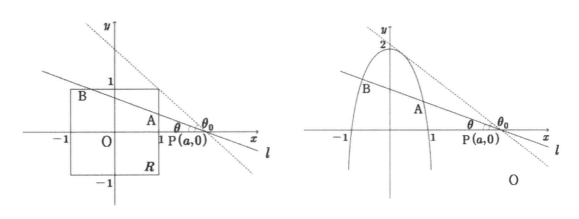

[그림 1]   [그림 2]

(1) 직선 l이 점 $(-1, 1)$을 지날 때의 θ를 θ_1이라 하자. $\tan\theta_1$을 a를 이용하여 나타내고, 그 근거를 논술하시오.

(2) $0 \le \theta \le \theta_0$에 대하여 $\overline{PB}^2 - \overline{PA}^2$을 θ에 관한 함수 $g(\theta)$로 나타낼 수 있다. $\int_0^{\theta_0} g(\theta)d\theta$를 구하고, 그 근거를 논술하시오.

---

(1) 점 P와 점 $(-1, 1)$에서 x축에 내린 수선의 발 $(-1, 0)$까지 거리가 $a+1$이므로 $\tan\theta_1 = \dfrac{1}{a+1}$**이다.**

(2) $\cos\theta = \dfrac{a-1}{\overline{PA}}$**이므로** $\overline{PA} = \dfrac{a-1}{\cos\theta}$**이다. 직선 l이 점 $(-1, 1)$을 지날 때 θ를 θ_1이라 하자. $0 \le \theta \le \theta_1$이면 점 B는 $(-1, 0)$을 지나는 정사각형 R의 변 위에 있고, x좌표는 -1이므로** $\overline{PB} = \dfrac{a+1}{\cos\theta}$**이다. $\theta_1 \le \theta \le \theta_0$이면 점 B는 $(0, 1)$을 지나는 정사각형 R의 변 위에 있고, y좌표는 1이므로** $\overline{PB} = \dfrac{1}{\sin\theta}$**이다. 따라서**

$$g(\theta) = \overline{PB}^2 - \overline{PA}^2 = \begin{cases} \dfrac{4a}{\cos^2\theta} & (0 \le \theta \le \theta_1) \\[3mm] \dfrac{1}{\sin^2\theta} - \dfrac{(a-1)^2}{\cos^2\theta} & (\theta_1 \le \theta \le \theta_0) \end{cases}$$

제시문 [라]를 이용하면 $(\tan\theta)' = \dfrac{1}{\cos^2\theta}$, $(\cot\theta)' = -\dfrac{1}{\sin^2\theta}$ 이고 제시문 [다]를 이용하여 적분하면

$$\int_0^{\theta_0} g(\theta)d\theta = 4a\int_0^{\theta_1}\frac{1}{\cos^2\theta}d\theta + \int_{\theta_1}^{\theta_0}\left\{\frac{1}{\sin^2\theta} - \frac{(a-1)^2}{\cos^2\theta}\right\}d\theta$$

$$= 4a\tan\theta_1 + (\cot\theta_1 - \cot\theta_0) - (a-1)^2(\tan\theta_0 - \tan\theta_1)$$

$\tan\theta_1 = \dfrac{1}{a+1}$, $\tan\theta_0 = \dfrac{1}{a-1}$ 이므로, 대입하면

$$\int_0^{\theta_0} g(\theta)d\theta = \frac{4a}{a+1} + 2 - (a-1)^2\left(\frac{1}{a-1} - \frac{1}{a+1}\right) = \frac{4a}{a+1} + \frac{4}{a+1} = 4$$

[논제 I-2]

[그림 2]와 같이 직선 l이 곡선 $C: y = -2x^2 + 2$에 접하고, 이 접점의 y좌표가 0보다 크거나 같을 때의 θ를 θ_2라 하자. $0 \le \theta < \theta_2$일 때, 직선 l과 곡선 C는 서로 다른 두 점에서 만나고 이 두 점을 A와 B라 하자. (단, A의 x좌표가 B의 x좌표보다 크다.)

(1) $\tan\theta_2$를 a를 이용하여 나타내고, 그 근거를 논술하시오.

(2) $a = 1$이고 $0 \le \theta < \theta_2$일 때, $\overline{\text{AB}}^2$이 최대가 되는 $\tan\theta$와 $\overline{\text{AB}}^2$의 최댓값을 구하고, 그 근거를 논술하시오.

(3) 직선 l이 점 $(0, 2)$를 지날 때의 θ를 θ_3이라 하자. $0 \le \theta \le \theta_3$에 대하여 A와 B의 중점이 M일 때, 선분 PM과 선분 MB의 길이의 곱 $\overline{\text{PM}} \times \overline{\text{MB}}$를 θ에 관한 함수 $h(\theta)$로 나타낼 수 있다. $\int_0^{\theta_3} h(\theta)d\theta$를 a를 이용하여 나타내고, 그 근거를 논술하시오.

(1) $y = -\tan\theta(x - a)$를 $y = -2x^2 + 2$에 대입하면 x에 관한 이차방정식 $2x^2 - x\tan\theta + a\tan\theta - 2 = 0$을 얻는다. $\theta = \theta_2$일 때 직선 l이 곡선 C에 접하려면 $2x^2 - x\tan\theta_2 + a\tan\theta_2 - 2 = 0$은 중근을 갖고, 판별식에 의해

$$\tan^2\theta_2 - 8a\tan\theta_2 + 16 = \left\{\tan\theta_2 - 4\left(a - \sqrt{a^2 - 1}\right)\right\}\left\{\tan\theta_2 - 4\left(a + \sqrt{a^2 - 1}\right)\right\} = 0$$

$a > 1$인 경우, $\tan\theta = 4\left(a - \sqrt{a^2 - 1}\right)$일 때 접점의 y좌표는 $4\left(a - \sqrt{a^2 - 1}\right)\sqrt{a^2 - 1} > 0$이고 $\tan\theta = 4\left(a + \sqrt{a^2 - 1}\right)$일 때 접점의 y좌표는 $-4\left(a + \sqrt{a^2 - 1}\right)\sqrt{a^2 - 1} < 0$이다. $a = 1$인 경우, $\tan\theta_2 = 4$이고 접점의 y좌표는 0이다. 따라서 $\tan\theta_2 = 4\left(a - \sqrt{a^2 - 1}\right)$이다.

(2) $y = -\tan\theta(x - 1)$를 $y = -2x^2 + 2$에 대입하여 얻은 x에 관한 이차방정식 $2x^2 - x\tan\theta + \tan\theta - 2 = 0$의 두 근을 α, $\beta(\alpha > \beta)$라 하면, 점 A의 x좌표는 α이고 점 B의 x좌표는 β이다. 따라서, 제시문 [가]를 이용하면

$$\overline{AB}^2 = \frac{(\alpha-\beta)^2}{\cos^2\theta} = \frac{(\alpha+\beta)^2 - 4\alpha\beta}{\cos^2\theta} = \frac{(\tan^2\theta - 8\tan\theta + 16)(1+\tan^2\theta)}{4} = \frac{(\tan\theta-4)^2(1+\tan^2\theta)}{4}$$

$\tan\theta$는 $0 \le \theta < \dfrac{\pi}{2}$에서 연속이고 증가함수이므로 [논제 Ⅰ-2] (1)번에 의해, $0 \le \theta < \theta_2$

일 때 $0 \le \tan\theta < 4$이다. $\tan\theta = t$로 놓으면, $0 \le t < 4$이고 $\overline{AB}^2 = \dfrac{1}{4}(t-4)^2(1+t^2)$이다.

$f(t) = \dfrac{1}{4}(t-4)^2(1+t^2)$라 하면, $f'(t) = (t-4)\left(t - \dfrac{2-\sqrt{2}}{2}\right)\left(t - \dfrac{2+\sqrt{2}}{2}\right)$이고 제시문 [나]

를 이용 하여 증가와 감소를 표로 나타내면 다음과 같다.

t	0	$\cdots$	$\dfrac{2-\sqrt{2}}{2}$	$\cdots$	$\dfrac{2+\sqrt{2}}{2}$	$\cdots$	4
$f'(t)$	$-$	$-$	0	$+$	0	$-$	
$f(t)$	4	$\searrow$	$\dfrac{71-8\sqrt{2}}{16}$	$\nearrow$	$\dfrac{71+8\sqrt{2}}{16}$	$\searrow$	

따라서 $t = \tan\theta = \dfrac{2+\sqrt{2}}{2}$일 때, 최댓값은 $\dfrac{71+8\sqrt{2}}{16} = \dfrac{71}{16} + \dfrac{\sqrt{2}}{2}$이다.

(3) 세 점 P, A, B가 직선 l위에 있고 M은 A와 B의 중점이므로, 네 점 P, A, B, M 모두 직선 l위에 있다. $\overline{MB} = \overline{MA}$이고 $\overline{PB} > \overline{PA}$이기 때문에 $\overline{PM} = \overline{PB} - \overline{MB} = \overline{PA} + \overline{MB}$

이다. 따라서 $\overline{PM} = \dfrac{\overline{PB} + \overline{PA}}{2}$, $\overline{MB} = \dfrac{\overline{PB} - \overline{PA}}{2}$이고

$$\overline{PM} \times \overline{MB} = \frac{\overline{PB}+\overline{PA}}{2} \times \frac{\overline{PB}-\overline{PA}}{2} = \frac{1}{4}\left(\overline{PB}^2 - \overline{PA}^2\right) \text{ 이다.}$$

$y = -\tan\theta(x-a)$를 $y = -2x^2 + 2$에 대입하여 얻은 x에 관한 이차방정식

$2x^2 - x\tan\theta + a\tan\theta - 2 = 0$의 두 근을 α, $\beta(\alpha > \beta)$라 하면 점 A의 x좌표는 α이고 점 B

의 x좌표는 β이다. 제시문 [가]를 이용하면

$$h(\theta) = \frac{1}{4}\left(\frac{(a-\beta)^2}{\cos^2\theta} - \frac{(a-\alpha)^2}{\cos^2\theta}\right) = \frac{(\alpha-\beta)(2a-\alpha-\beta)}{4\cos^2\theta} = \frac{\sqrt{\tan^2\theta - 8a\tan\theta + 16}\,(4a-\tan\theta)}{16\cos^2\theta}$$

$$\int_0^{\theta_3} h(\theta)\,d\theta = \frac{1}{16}\int_0^{\theta_3} \frac{\sqrt{\tan^2\theta - 8a\tan\theta + 16}\,(4a-\tan\theta)}{\cos^2\theta}\,d\theta$$

$\theta = \theta_3$일 때, 직선 l이 $(0, 2)$를 지나므로 $\tan\theta_3 = \dfrac{2}{a}$이다. $u = \tan^2\theta - 8a\tan\theta + 16$이라 하

면, $\dfrac{du}{d\theta} = \dfrac{2\tan\theta - 8a}{\cos^2\theta}$이고 $\theta = 0$일 때 $u = 16$, $\theta = \theta_3$일 때 $u = \dfrac{4}{a^2}$이다. 제시문 [마]와

[라]를 이용 하면, $\displaystyle\int_0^{\theta_3} h(\theta)\,d\theta = -\frac{1}{32}\int_{16}^{\frac{4}{a^2}} \sqrt{u}\,du = \frac{4}{3} - \frac{1}{6a^3}$이다.

14. 2020학년도 경희대 모의 논술

[논제 I] 제시문 [가] [바]를 읽고 다음 질문에 답하시오.

[논제 I - 1] 곡선 $y = x^2 (x > 0)$위의 두 점 A, B가 있다. (단, B의 x좌표가 A의 x좌표보다 크다)

(1) 두 점 A, B의 x좌표의 차가 $h(h > 0)$일 때, 선분 AB와 곡선 $y = x^2$로 둘러싸인 영역의 넓이를 구하고, 그 근거를 논술하시오.

(2) 점 A의 좌표가 (a, a^2)이고 선분 AB의 길이가 $\sqrt{\dfrac{25a^4}{16} + \dfrac{a^2}{4}}$일 때 $(a > 0)$, 선분 AB와 곡선 $y = x^2$로 둘러싸인 영역의 넓이를 구하고, 그 근거를 논술하시오. (15점)

---

(1) 점 A, B의 좌표를 각각 (a, a^2), $(a+h, (a+h)^2)$이라 두면 ($h > 0$), 점 A, B의 x축 위의 수선의 발 A', B'는 $(a, 0)$, $(a+h, 0)$이 된다. 제시문 [마]를 이용하여 구하고자 하는 영역의 넓이 S를 구하면

$$S = (\text{사다리꼴} ABB'A' \text{의 넓이}) - \int_a^{a+h} x^2 dx$$

가 된다.

$$(\text{사다리꼴} ABB'A' \text{의 넓이}) = \frac{\{a^2 + (a+h)^2\}h}{2} = a^2 h + ah^2 + \frac{h^3}{2},$$

$$\int_a^{a+h} x^2 dx = \frac{1}{3}\{(a+h)^3 - a^3\} = \frac{h^3}{3} + a^2 h + ah^2$$

이므로, $S = \dfrac{h^3}{6}$이다.

(2) 점 B의 좌표를 $(a+h, (a+h)^2)$라 두면 ($h > 0$), $\overline{AB^2} = \dfrac{25a^4}{16} + \dfrac{a^2}{4}$이므로,

$$h^4 + 4ah^3 + (4a^2 + 1)h^2 - \frac{25a^4}{16} - \frac{a^2}{4} = h^4 + 4ah^3 + (4a^2 + 1)h^2 - \frac{a^2}{4}\left(\frac{25a^2}{4} + 1\right) = 0$$

이 된다. $P(h) = h^4 + 4ah^3 + (4a^2 + 1)h^2 - \dfrac{a^2}{4}\left(\dfrac{25a^2}{4} + 1\right)$라 두면, $P\left(\dfrac{a}{2}\right) = 0$이므로, 제시문 [바]에 의해 다항식 P는 $x - \dfrac{a}{2}$로 나누어떨어지고

$$P(h) = \left(h - \frac{a}{2}\right)\left\{h^3 + \frac{9a}{2}h^2 + \left(\frac{25a^2}{4} + 1\right)h + \frac{a}{2}\left(\frac{25a^2}{4} + 1\right)\right\}$$

이 된다. a와 h는 양수 이므로 $h = \dfrac{a}{2}$일 때만 $\overline{AB} = \sqrt{\dfrac{25a^4}{16} + \dfrac{a^2}{4}}$ 을 만족한다. 따라서,

①번에 의해 선분 AB와 곡선 $y = x^2$으로 둘러싸인 영역의 넓이는 $\dfrac{a^3}{48}$이다.

[논제 I-2] $n > 1$인 실수 n에 대하여 두 함수 $f(x) = x^n$과 $g(x) = x^{1-\frac{1}{n}}$의 그래프는 점 두 점 $O(0,\ 0)$과 $P(1,\ 1)$에서 만난다. 점 $P(1,\ 1)$에서 함수 $f(x) = x^n$의 그래프 $y = f(x)$에 접하는 접선이 x축과 만나는 점을 $A_n(a_n,\ 0)$, 점 $P(1,\ 1)$에서 함수 $g(x) = x^{1-\frac{1}{n}}$에 그래프 $y = g(x)$에 접하는 접선이 y축과 만나는 점을 $B_n(0,\ b_n)$이라 했을 때, 다음 물음에 답하시오.

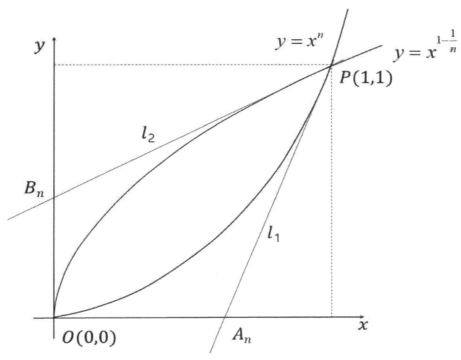

(1) 삼각형 $A_n P B_n$의 넓이가 최소가 되는 n의 값과, 그 때 삼각형 $A_n P B_n$의 넓이를 구하고, 그 근거를 논술하시오.

(2) 각 $A_n P B_n$를 θ라 했을 때, θ가 최소가 되는 n의 값과, 그 때 $\tan\theta$의 값을 구하고, 그 근거를 논술하시오.

> **(1) 제시문 [나]에 의해** $f'(x) = nx^{n-1}$, $g'(x) = \left(1 - \dfrac{1}{n}\right)x^{-\frac{1}{n}}$**이다. 점 $P(1,\ 1)$에서**
> $y = f(x)$, $y = g(x)$**에 접하는 접선을 각각 l_1, l_2라 하면, 제시문 [가]에 의해**
>
> $$l_1 : y - 1 = n(x - 1), \quad l_2 : y - 1 = \left(1 - \frac{1}{n}\right)(x - 1)$$

이다. l_1이 x축과 만나는 점 $A_n(a_n, 0)$의 x좌표는 $a_n = 1 - \dfrac{1}{n}$, l_2가 y축과 만나는 점 $B_n(0, b_n)$의 y좌표는 $b_n = \dfrac{1}{n}$이다.

(사각형 OA_nPB_n의 넓이) = (삼각형 OA_nP의 넓이) + (삼각형 OPB_n의 넓이)

$$= \frac{1}{2}\left(1 - \frac{1}{n}\right) + \frac{1}{2}\frac{1}{n} = \frac{1}{2}$$

이므로 n과 상관없이 일정하다. 따라서

(삼각형 A_nPB_n의 넓이) = (사각형 OA_nPB_n의 넓이) − (삼각형 OA_nB_n의 넓이)

$$= \frac{1}{2} - \frac{1}{2} \times \overline{OA_n} \times \overline{OB_n} = \frac{1}{2} - \frac{1}{2}\left(1 - \frac{1}{n}\right)\frac{1}{n} = \frac{n^2 - n + 1}{2n^2}$$

이다. $G(n) = \dfrac{n^2 - n + 1}{2n^2}$이라 하면 $G'(n) = \dfrac{n(n-2)}{2n^4}$이고 $n > 1$의 범위에서 $n = 2$일 때 극값을 가진다. $1 < n < 2$일 때 $G'(n) < 0$이고 $n > 2$일 때 $G'(n) > 0$이므로, 제시문 [다]에 의해 $G(n)$은 $1 < n < 2$에서 감소함수이고, $n > 2$에서 증가함수이다. 따라서 $n = 2$일 때 $G(n)$은 최솟값 $G(2) = \dfrac{3}{8}$을 가지며, 삼각형 A_nPB_n의 넓이는 $n = 2$일 때 최솟값 $\dfrac{3}{8}$을 가진다.

(2) x축 위의 점 $A(1, 0)$과 y축 위의 점 $B(0, 1)$에 대하여, 각 A_nPA를 α, 각 BPB_n을 β라 하면, $\theta = \dfrac{\pi}{2} - (\alpha + \beta)$이므로 $\alpha + \beta$가 최대일 때 θ가 최소가 된다.

삼각형 A_nPA는 $\overline{AP} = 1$이고 $\overline{A_nA} = \overline{OA} - \overline{OA_n} = 1 - \left(1 - \dfrac{1}{n}\right) = \dfrac{1}{n}$이며 각 $A_nAP = \dfrac{\pi}{2}$인 직각삼각형이므로 $\tan\alpha = \dfrac{1}{n}$이다. 또한 삼각형 BPB_n은 $\overline{BP} = 1$이고 $\overline{BB_n} = \overline{OB} - \overline{OB_n} = 1 - \dfrac{1}{n}$이며 각 $B_nBP = \dfrac{\pi}{2}$인 직각삼각형이므로 $\tan\beta = 1 - \dfrac{1}{n}$이다.

제시문 **[라]**에 의해 $\tan(\alpha + \beta) = \dfrac{\tan\alpha + \tan\beta}{1 - \tan\alpha\tan\beta} = \dfrac{1}{1 - \dfrac{1}{n}\left(1 - \dfrac{1}{n}\right)} = \dfrac{n^2}{n^2 - n + 1}$이고,

$$\tan\theta = \tan\left(\frac{\pi}{2} - (\alpha + \beta)\right) = \tan\left(\frac{\pi}{4} + \frac{\pi}{4} - (\alpha + \beta)\right) = \frac{1 + \tan\left(\dfrac{\pi}{4} - (\alpha + \beta)\right)}{1 - \tan\left(\dfrac{\pi}{4} - (\alpha + \beta)\right)}$$

이며,

$\tan\left(\dfrac{\pi}{4} - (\alpha + \beta)\right) = \dfrac{1 - \tan(\alpha + \beta)}{1 + \tan(\alpha + \beta)}$ 이므로 $\tan\theta = \dfrac{1}{\tan(\alpha + \beta)} = \dfrac{n^2 - n + 1}{n^2}$이다.

$H(n) = \dfrac{n^2 - n + 1}{n^2}$ 이라 하면 $H'(n) = \dfrac{n(n-2)}{n^4}$ 이고 $n > 1$의 범위에서 $n = 2$일 때 극값을 가진다. $1 < n < 2$에서 $H'(n) < 0$이고, $n > 2$에서 $H'(n) > 0$이므로, 제시문 [다]에 의해 $H(n)$은 $1 < n < 2$에서 감소함수이고 $n > 2$에서 증가함수이다. 따라서 $n = 2$일 때 $H(n)$는 최솟값 $H(2) = \dfrac{3}{4}$를 가진다.

한편 $\tan x$함수는 $-\dfrac{\pi}{2} < x < \dfrac{\pi}{2}$에서 증가함수이므로, $\tan\theta$가 최소일 때 θ도 최소이다. 따라서 $n = 2$일 때 θ는 최소이며, 이때 $\tan\theta = \dfrac{3}{4}$이다.

* $\tan\theta = \dfrac{1}{\tan(\alpha + \beta)}$에 대한 별해

위의 직각삼각형에서 각 ABC를 $\alpha + \beta$라 하면 각 CAB는 $\theta = \dfrac{\pi}{2} - (\alpha + \beta)$가 된다.

또한 $\tan(\alpha + \beta) = \dfrac{\overline{CA}}{\overline{BC}}$이므로 $\tan\theta = \dfrac{\overline{BC}}{\overline{CA}} = \dfrac{1}{\tan(\alpha + \beta)}$이다.

15. 2019학년도 경희대 수시 논술 [토요일]

[논제 I-1] $a = 2$, $b = 1$이라 하자. 중심이 원점이고 접선 l에 접하는 원의 넓이가 2π일 때 제 1사분면에 있는 점 A의 좌표를 구하고, 그 근거를 논술하시오.

점 A의 좌표를 $(x_1,\ y_1)$이라 하면, $\dfrac{x_1^2}{4} + y_1^2 = 1$이고, 접선 l의 방정식은 $x_1 x + 4 y_1 y - 4 = 0$이다. 원점과 접선 l사이의 거리는 $d = \dfrac{4}{\sqrt{x_1^2 + 16 y_1^2}}$이고, 이것이 원의 반지름이므로 원의 넓이는 $\pi d^2 = \dfrac{16\pi}{x_1^2 + 16 y_1^2}$이다. 이 원의 넓이가 2π이므로 $x_1^2 + 16 y_1^2 = 8$이다. 연립방정식 $\begin{cases} x_1^2 + 16 y_1^2 = 8 \\ x_1^2 + 4 y_1^2 = 4 \end{cases}$을 풀면 $x_1 > 0$, $y_1 > 0$이므로 $x_1 = \dfrac{2\sqrt{6}}{3}$, $y_1 = \dfrac{\sqrt{3}}{3}$이다. 따라서 A의 좌표는 $\left(\dfrac{2\sqrt{6}}{3},\ \dfrac{\sqrt{3}}{3} \right)$이다.

[논제 I-2] $0 \le x \le \dfrac{\sqrt{2}}{2} a$일 때, 타원 위의 점 $A(x,\ y)$와 점 A에서 x축에 내린 수선의 발 $A'(x,\ 0)$, 점 $B(-a,\ 0)$으로 만들어지는 삼각형 $AA'B$의 넓이를 $S(x)$라 하자. 닫힌구간 $\left[0,\ \dfrac{\sqrt{2}}{2} a \right]$의 임의의 x에서 x축에 수직인 평면으로 자른 단면의 넓이가 $S(x)$인 입체도형 의 부피를 구하고, 그 근거를 논술하시오.

넓이는 $S(x) = \dfrac{1}{2}\overline{BA'} \times \overline{AA'} = \dfrac{1}{2}(x + a)y = \dfrac{b}{2a}(x + a)\sqrt{a^2 - x^2}$이므로, 입체의 부피는

$$V = \int_0^{\frac{\sqrt{2}\,a}{2}} S(x)\,dx = \frac{b}{2a}\int_0^{\frac{\sqrt{2}\,a}{2}} x\sqrt{a^2-x^2}\,dx + \frac{b}{2}\int_0^{\frac{\sqrt{2}\,a}{2}} \sqrt{a^2-x^2}\,dx = I + II \text{이다.}$$

$I = \dfrac{b}{2a}\displaystyle\int_0^{\frac{\sqrt{2}\,a}{2}} x\sqrt{a^2-x^2}\,dx$는 $t = a^2 - x^2$이라 치환하면 $I = \dfrac{b}{4a}\displaystyle\int_{\frac{a^2}{2}}^{a^2}\sqrt{t}\,dt = \dfrac{(4-\sqrt{2})a^2 b}{24}$이

고, $II = \dfrac{b}{2}\displaystyle\int_0^{\frac{\sqrt{2}\,a}{2}}\sqrt{a^2-x^2}\,dx$를 반지름 a, 중심각 $\dfrac{\pi}{4}$인 부채꼴과 두 변의 길이가 $\dfrac{\sqrt{2}\,a}{2}$인

직각 이등변 삼각형으로 나누어 계산하면 $\displaystyle\int_0^{\frac{\sqrt{2}\,a}{2}}\sqrt{a^2-x^2}\,dx = \dfrac{\pi a^2}{8} + \dfrac{a^2}{4}$이고,

$II = \left(\dfrac{\pi}{8} + \dfrac{1}{4}\right)\dfrac{a^2 b}{2}$이다. 따라서 입체도형의 부피는 $V = \left(\dfrac{\pi}{16} + \dfrac{7}{24} - \dfrac{\sqrt{2}}{24}\right)a^2 b$이다.

[논제 I-2]

$0 < t < \dfrac{\pi}{2}$일 때, 타원 위의 점 $A(a\cos t, b\sin t)$에서의 접선 l이 x축과 만나는 점을 C, y
축과 만나는 점을 D라 하자. 이때, 선분 CD의 길이가 최소가 되는 t에 대하여 $\sin t$의
값을 구하고, 그 근거를 논술하시오.

접선 l의 방정식은 $\dfrac{x\cos t}{a} + \dfrac{y\sin t}{b} = 1$이므로 점 C와 D의 좌표는

각각 $\left(\dfrac{a}{\cos t},\ 0\right)$, $\left(0,\ \dfrac{b}{\sin t}\right)$이고, $\overline{\mathrm{CD}} = \sqrt{\dfrac{a^2}{\cos^2 t} + \dfrac{b^2}{\sin^2 t}}$이다.

함수 $y = \sqrt{x}$가 증가함수이므로, $\overline{\mathrm{CD}}^2$가 최소일 때, $\overline{\mathrm{CD}}$가 최소이다. $u = \sin^2 t$로 치환하면

$0 < u < 1$이고, $f(u) = \overline{\mathrm{CD}}^2 = \dfrac{a^2}{1-u} + \dfrac{b^2}{u}$이다.

$f'(u) = \dfrac{a^2}{(1-u)^2} - \dfrac{b^2}{u^2} = \left(\dfrac{a}{1-u} - \dfrac{b}{u}\right)\left(\dfrac{a}{1-u} + \dfrac{b}{u}\right) = \dfrac{\{(a+b)u - b\}\{(a-b)u + b\}}{(1-u)^2 u^2}$이므로,

$f'\left(\dfrac{b}{a+b}\right) = 0$이고 $u = \dfrac{b}{a+b}$의 좌우에서 $f'(u)$의 부호가 음에서 양으로 변한다. 따라서

$f(u)$는 $u = \dfrac{b}{a+b}$에서 극솟값을 갖고, 열린 구간 $(0,\ 1)$에서 감소하다가 증가하므로,

$f(u)$는 $u = \dfrac{b}{a+b}$에서 최솟값을 갖는다. 이 때 $\sin t = \sqrt{\dfrac{b}{a+b}}$이다.

[논제 I-4] $0 < t < \dfrac{\pi}{2}$일 때, 타원 위의 점 $A(a\cos t, b\sin t)$를 지나고 접선 l과 수직인 직
선 을 l'이라 하자. 직선 l'과 선분 OA가 이루는 각 중 예각을 θ라 할 때, 다음 질문에
답 하시오.

① $\tan\theta$를 t에 관한 함수로 나타낼 수 있고 이 함수를 $f(t)$라 하자. $\displaystyle\int_0^{\frac{\pi}{2}} f(t)\,dt$를 구하

고, 그 근거를 논술하시오.

② $x = a\cos t$라 두면, $\tan\theta$를 x에 관한 함수로 나타낼 수 있고 이 함수를 $g(x)$라 하자. $\int_0^a g(x)dx$를 구하고, 그 근거를 논술하시오.

---

① 접선 l의 기울기는 $-\dfrac{b}{a}\cot t$이므로 직선 l'의 기울기는 $\dfrac{a}{b}\tan t$이다. 선분 OA와 x축 사이의 예 각을 θ_1, 직선 l'과 x축 사이의 예각을 θ_2라 하면 $\tan\theta_1 = \dfrac{b}{a}\tan t$이고 $\tan\theta_2 = \dfrac{a}{b}\tan t$이다. $\theta = \theta_2 - \theta_1$이므로,

$$\tan\theta = \tan(\theta_2 - \theta_1) = \frac{\tan\theta_2 - \tan\theta_1}{1 + \tan\theta_2\tan\theta_1} = \left(\frac{a}{b} - \frac{b}{a}\right)\frac{\tan t}{1 + \tan^2 t} = \frac{a^2 - b^2}{ab}\sin t\cos t\text{이다.}$$

따라서 $f(t) = \dfrac{a^2 - b^2}{ab}\sin t\cos t$이다.

적분 $\displaystyle\int_0^{\frac{\pi}{2}} f(t)dt = \frac{a^2 - b^2}{ab}\int_0^{\frac{\pi}{2}}\sin t\cos t\,dt$에서

$u = \sin t$로 치환하면

$$\int_0^{\frac{\pi}{2}}\sin t\cos t\,dt = \int_0^1 u\,du = \frac{1}{2}\text{이므로, } \int_0^{\frac{\pi}{2}} f(t)dt = \frac{a^2 - b^2}{2ab}\text{이다.}$$

② $\cos t = \dfrac{x}{a}$, $\sin t = \dfrac{y}{b} = \dfrac{\sqrt{a^2 - x^2}}{a}$이므로

$$\tan\theta = g(x) = \frac{a^2 - b^2}{a^3 b}x\sqrt{a^2 - x^2}\text{이다.}$$

$$\int_0^a g(x)dx = \frac{a^2 - b^2}{a^3 b}\int_0^a x\sqrt{a^2 - x^2}\,dx\text{에서}$$

$u = a^2 - x^2$로 치환하면,

$$\int_0^a g(x)dx = \frac{a^2 - b^2}{2a^3 b}\int_0^{a^2}\sqrt{u}\,du = \frac{a^2 - b^2}{3b}\text{이다.}$$

16. 2019학년도 경희대 수시 논술 [일요일]

[논제 I] 제시문 [가] [마]를 읽고 다음 질문에 답하시오.

$0 < p \le 1$일 때, 점 $A\left(p, \dfrac{1}{p}\right)$은 곡선 $y = \dfrac{1}{x}(x > 0)$위의 점이다. 이때, 점 A에서 $y = \dfrac{1}{x}$과 접하는 원 중에서 y축에도 접하는 원의 중심을 C(a, b)라 하자. $0 < a < p$일 때, 다음 물음에 답하시오.

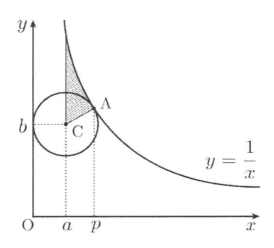

[논제 I-1]

$p = 1$일 때, 직선 $x = 1$에 의하여 나누어지는 원의 두 부분 중에서 작은 부분의 넓이를 구하고, 그 근거를 논술하시오. (10점)

$p = 1$이면, 그림에서와 같이 원이 $y = \dfrac{1}{x}$과 $(1, 1)$에서 접하고, x축과 y축에 동시에 접한다. 원의 반지름을 r이라고 하면, $\overline{\mathrm{OC}} = \sqrt{2}\,r$이고, $\overline{\mathrm{CA}} = r$이므로, $\sqrt{2}\,r + r = \sqrt{2}$를 만족하기 때문에, $r = 2 - \sqrt{2}$이다.

한편, 점 A를 지나고 x축에 수직인 직선을 그렸을 때, 원과 만나는 점을 D라고 하자. 그러면, 구하려는 부분의 넓이는 부채꼴 CAD의 넓이에서 삼각형 ACD의 넓이를 빼면 된다. $\angle \mathrm{ACD}$는 $\dfrac{\pi}{2}$, 반지름은 $2 - \sqrt{2}$인 부채꼴 CDA의 넓이는 $\dfrac{1}{2}(2 - \sqrt{2})^2 \times \dfrac{\pi}{2} = \dfrac{\pi}{2}(3 - 2\sqrt{2})$이고, $\angle \mathrm{ACD}$는 $\dfrac{\pi}{2}$, $\overline{\mathrm{AC}} = \overline{\mathrm{CD}} = 2 - \sqrt{2}$인 삼각형 ACD의 넓이는 $\dfrac{1}{2} \times (2 - \sqrt{2})^2 = 3 - 2\sqrt{2}$이다. 따라서 구하려는 부분의 넓이는 $\left(\dfrac{\pi}{2} - 1\right)(3 - 2\sqrt{2})$이다.

[논제 I-2]

a와 b를 p에 관한 함수 $a = f(p)$와 $b = g(p)$로 나타내고, 그 근거를 논술하시오. (15점)

접점 $\mathrm{A} = \left(p,\ \dfrac{1}{p}\right)$와 원의 중심 $\mathrm{C}(a, b)$에 대하여, 점 A, C를 지나는 직선과 점 A에서의 접선은 수직이다. 접선의 기울기는 $-\dfrac{1}{p^2}$이므로, 선분 AC의 기울기는 p^2이다. 따라서 원의 중심의 좌표 (a, b)는 다음 식을 만족한다.

$$\frac{b-\dfrac{1}{p}}{a-p}=p^2 \cdots\cdots (1)$$

원이 y축에 접하므로 원의 반지름이 a이다. 따라서 $\overline{AC}=a$이므로, 다음 식을 만족한다.

$$(a-p)^2+\left(b-\frac{1}{p}\right)^2=a^2 \cdots\cdots (2)$$

①과 ②로부터,

$$(1+p^4)(a-p)^2=a^2 \cdots\cdots (3)$$

이다. ③으로부터 $\sqrt{1+p^4}\,(a-p)=a$또는 $\sqrt{1+p^4}\,(a-p)=-a$이다.

$a=\dfrac{p\sqrt{1+p^4}}{\sqrt{1+p^4}-1}$ 또는 $a=\dfrac{p\sqrt{1+p^4}}{\sqrt{1+p^4}+1}$ 에서, $a<p$이므로, $a=\dfrac{p\sqrt{1+p^4}}{\sqrt{1+p^4}+1}$ 이다.

이를

①에 대입하면, $b=p^2(a-p)+\dfrac{1}{p}=p^2\left(\dfrac{p\sqrt{1+p^4}}{\sqrt{1+p^4}+1}-p\right)+\dfrac{1}{p}=\dfrac{2-\sqrt{1+p^4}}{p}$ 이다.

따라서 $f(p)=\dfrac{p\sqrt{1+p^4}}{\sqrt{1+p^4}+1}$ 이고, $g(p)=\dfrac{2-\sqrt{1+p^4}}{p}$ 이다.

[논제 I-3]

함수 $h(p)=f(p)g(p)$라 할 때,

(1) $h(p)$가 $0<p<1$에서 증가하는지 감소하는지를 조사하고, 그 근거를 논술하시오. (15점)

(2) $p=0$에서의 $h(p)$의 우극한이 존재하면 그 값을 구하고, 그 과정을 서술하시오. 만일, 우극한이 존재하지 않는다면, 그 근거를 논술하시오. (5점)

(1) [논제 I-2]에서 $h(p)=f(p)g(p)=\dfrac{\sqrt{1+p^4}\,(2-\sqrt{1+p^4})}{\sqrt{1+p^4}+1}$ 이다.

이때, $t=\sqrt{1+p^4}$ 라 하면 $h(p)=\dfrac{t(2-t)}{t+1}$ 이고 이를 $H(t)$라 하자. 합성함수의 미분법에 의해서

$$h'(p)=H'(t)\times\frac{2p^3}{\sqrt{1+p^4}}$$

이고

$$H'(t)=\left(\frac{t(2-t)}{t+1}\right)'=-\frac{(t^2+2t-2)}{(t+1)^2}$$

$0<p<1$이므로, $1<t<\sqrt{2}$ 이다. 따라서 $t^2+2t-2=(t+1)^2-3>0$이므로, $h'(p)<0$이

157

되어 $h(p)$가 $0 < p < 1$에서 감소한다.

(2) p에 대한 함수 $\dfrac{\sqrt{1+p^4}\left(2-\sqrt{1+p^4}\right)}{\sqrt{1+p^4}+1}$는 모든 실수에서 연속이므로,

$$\lim_{p \to 0+} h(p) = \lim_{p \to 0+} \frac{\sqrt{1+p^4}\left(2-\sqrt{1+p^4}\right)}{\sqrt{1+p^4}+1} = \frac{1 \times (2-1)}{1+1} = \frac{1}{2}$$

따라서, $p=0$에서의 $h(p)$의 우극한이 존재하고, 우극한은 $\dfrac{1}{2}$이다.

[논제 I-4]

직선 $x=a$, 곡선 $y=\dfrac{1}{x}$과 선분 AC로 둘러싸인 도형의 넓이를 p에 관한 함수 $S(p)$라 하자. $p=0$에서의 $S(p)$의 우극한을 구하고, 그 근거를 논술하시오.

A와 C에서 x축에 내린 수선의 발을 각각 A′과 C′이라고 하자. 그러면, 구하는 도형의 넓이는 $\displaystyle\int_{f(p)}^{p} \frac{1}{x}dx$에서 사다리꼴 ACC′A′의 넓이를 빼면 된다. 사다리꼴 ACC′A′의 넓이는 $\dfrac{1}{2}\left(\overline{\text{CC}'}+\overline{\text{AA}'}\right) \times \overline{\text{C}'\text{A}'} = \dfrac{1}{2}\left(g(p)+\dfrac{1}{p}\right) \times (p-f(p))$이다.

따라서

$$S(p) = \ln\frac{p}{f(p)} - \frac{1}{2}\left(pg(p) - f(p)g(p) + 1 - \frac{f(p)}{p}\right)$$

논제 [I-2]에서 구한 $f(p)$와 $g(p)$의 식으로부터,

$$\lim_{p \to 0+} \frac{f(p)}{p} = \lim_{p \to 0+} \frac{\sqrt{1+p^4}}{\sqrt{1+p^4}+1} = \frac{1}{2}$$

$$\lim_{p \to 0+} pg(p) = \lim_{p \to 0+} \left(2-\sqrt{1+p^4}\right) = 1$$

$$\lim_{p \to 0+} f(p)g(p) = \frac{1}{2} \text{ 이므로}$$

$$\lim_{p \to 0+} S(p) = \ln 2 - \frac{1}{2} \text{ 이 된다.}$$

17. 2019학년도 경희대 온라인 모의 논술

[논제 I-1] 실수의 부분집합 $A = \{a = y + x\sqrt{3} \mid x, y$는 정수$\}$에 포함되는 임의의 원소 a, b에 대하여 $a+b$와 ab도 A에 포함되며 A의 각 원소 $a = y + x\sqrt{3}$에 대하여 $\bar{a} = y - x\sqrt{3}$이라 정의하면 $\bar{a}$도 A에 포함된다. A의 임의의 원소 a와 $b = z + w\sqrt{3}$에 대하여 $\overline{(\bar{a})} = a$, $\overline{a+b} = \bar{a} + \bar{b}$, $\overline{a-b} = \bar{a} - \bar{b}$, $\overline{ab} = \bar{a}\,\bar{b}$임을 논술하시오.

$a = y + x\sqrt{3}$, $b = z + w\sqrt{3}$이라 하면(단, x, y, z 는 정수), $\bar{a} = y - x\sqrt{3}$, $\bar{b} = z - w\sqrt{3}$이고, 제시문 [가]에 의하여

$$\overline{(\overline{a})} = \overline{y - x\sqrt{3}} = y - (-x)\sqrt{3} = y + x\sqrt{3} = a$$

$$\overline{a+b} = \overline{y + z + (x+w)\sqrt{3}} = y + z - (x+w)\sqrt{3}$$

$$= y - x\sqrt{3} + (z - w\sqrt{3}) = \overline{a} - \overline{b}$$

$$\overline{ab} = \overline{(y + x\sqrt{3})(z + w\sqrt{3})} = \overline{yz + 3xw + (yw + xz)\sqrt{3}}$$

$$= yz + 3xw - (yw + xz)\sqrt{3} = (y - x\sqrt{3})(z - w\sqrt{3}) = \overline{a}\,\overline{b}$$

논제 I-2] 쌍곡선 $y^2 - 3x^2 = 1$의 그래프 위의 점들 중 정수좌표를 가지는 점들의 집합을 $L = \{(x,y) \mid y^2 - 3x^2 = 1, x, y \text{는 정수}\}$이라 하고, [논제 I-1]에서 정의한 집합 A의 원소 a 중 $a\overline{a} = 1$을 만족하는 원소들로 이루어진 A의 부분집합을 $B = \{a \mid a \in A, a\overline{a} = 1\}$라 하자.

1) $f((x,y)) = y + x\sqrt{3}$으로 정의된 함수 $f : L \to B$가 L과 B 사이의 일대일 대응 임을 논술하시오.

> L에 두 원소 (x,y)와 (z,w)에 대하여 $(x,y) \neq (z,w)$이면 $x \neq z$ 또는 $y \neq w$ 이므로, 제시문 [가]에 의해 $y + x\sqrt{3} \neq w + z\sqrt{3}$이다. $f((x,y)) \neq f((z,w))$이므로 제시문 [다]에 의하여 $f((x,y)) = y + x\sqrt{3}$는 일대일 함수이다.

2) B의 임의의 원소 $a = y + x\sqrt{3}$, $b = z + w\sqrt{3}$와 에 대하여 $\overline{a}$, ab도 B에 포함됨을 보이시오. 또한 임의의 자연수 n에 대하여 a^n도 B에 포함됨을 논술하시오.

> B의 원소 $a = y + x\sqrt{3}$에 대하여, $\overline{a} = y - x\sqrt{3}$이고 $a\overline{a} = (y + x\sqrt{3})(y - x\sqrt{3}) = 1$이다. [논제 I-1]에서 $\overline{(\overline{a})} = a$이므로 $\overline{a}\,\overline{(\overline{a})} = \overline{a}a = (y + x\sqrt{3})(y - x\sqrt{3}) = 1$이고, 따라서 $\overline{a} \in B$ 이다.
>
> B의 원소 $a = y + x\sqrt{3}$와 $b = z + w\sqrt{3}$에 대하여 [논제 I-1]의 $\overline{ab} = \overline{a}\,\overline{b}$의하면 $ab\overline{ab} = ab\overline{a}\,\overline{b} = a\overline{a}b\overline{b}$이다. 한편 $a, b \in B$ 이므로 $a\overline{a} = 1 = b\overline{b}$이고 $ab\overline{ab} = a\overline{a}b\overline{b} = 1$이다. 따라서 $a, b \in B$ 이다.
>
> $n = 1$일 때 $a^1 = a$이므로 B에 포함된다.
>
> 임의의 자연수 k에 대하여 $a^k \in B$임을 가정하면 $a^k \overline{(a^k)} = 1$이다. 또한 $k+1$에 대하여 $a^{k+1}\overline{(a^{a+1})} = a^k a \overline{a^k}\,\overline{a} = a^k \overline{a^k} a\overline{a} = 1 \times 1 = 1$이므로 $a^{k+1} \in B$이다.
>
> 따라서 제시문 [라]에 의해 임의의 자연수 n에 대하여 a^n도 B에 포함된다.

3) $2 + \sqrt{3}$은 B에 포함되고, [논제 I-2]의 (2)에 의하면, 임의의 자연수 n에 대하여 $(2 + \sqrt{3})^n$도 B에 포함된다. 따라서 $y_n + x_n\sqrt{3} = (2 + \sqrt{3})^n$이라 정의하면 (x_n, y_n)은 쌍곡선 $y^2 - 3x^2 = 1$의 그래프 위의 제1사분면에 위치한 자연수 좌표점이다. 각 자연수 n에 대하여 $a_n = \dfrac{y_n}{x_n}$이라 정의한 수열 $\{a_n\}$이 수렴할 때, 수렴 값 $\displaystyle\lim_{n\to\infty} a_n = \alpha$를 구하고 이를 쌍곡선의 점근선과 관련지어 논술하시오.

임의의 자연수 n에 대하여

$$y_{n+1} + x_{x+1}\sqrt{3} = (2+\sqrt{3})^{n+1} = (2+\sqrt{3})^2(2+\sqrt{3})$$
$$= (y_n + x_n\sqrt{3})(2+\sqrt{3})$$

이므로 $y_{n+1} = 2y_n + 3x_n, \; x_{n+1} = y_n + 2x_n$ 이다.

$$a_{n+1} = \frac{y_{y+1}}{x_{x+1}} = \frac{2y_n + 3x_n}{y_n + 2x_n} = \frac{2\dfrac{y_n}{x_n} + 3}{\dfrac{y_n}{x_n} + 2} = \frac{2a_n + 3}{a_n + 2}$$

이므로 $a_{n+1}a_n + 2a_{n+1} = 2a_n + 3 \cdots\cdots$ ① 이다.

한편 수열 a_n이 수렴하므로 $\displaystyle\lim_{n\to\infty} a_n = \alpha$라 하면, 제시문 [마]에 의해, 등식 ①의 좌변의 극한은

$$\lim_{n\to\infty}(a_{n+1}a_n + 2a_{n+1}) = \lim_{n\to\infty} a_{n+1}a_n + \lim_{n\to\infty} 2a_{n+1}$$
$$= \lim_{n\to\infty} a_{n+1}\lim_{n\to\infty} a_n + 2\lim_{n\to\infty} a_{n+1} = \alpha^2 + 2\alpha$$

이고, 등식 ①의 우변의 극한은 $\displaystyle\lim_{n\to\infty}(2a_n + 3) = 2\lim_{n\to\infty} a_n + \lim_{n\to\infty} 3 = 2\alpha + 3$이다.

따라서 $\alpha^2 = 3$이며, 수열 a_n이 양수의 수열 이므로 $\alpha = \sqrt{3}$ 이다.

수열 $a_n = \dfrac{y_n}{x_n}$은 쌍곡선 $y^2 - 3x^2 = 1$의 그래프 위의 제1사분면에 위치한 자연수 좌표점 (x_n, y_n)의 x좌표와 y좌표의 비율로 이루어진 수열이다. 따라서 그 극한은 쌍곡선 $y^2 - 3x^2 = 1$에서 기울기가 양수인 점근선 직선 $y = \sqrt{3}x$의 기울기 $\sqrt{3}$ 이다.

18. 2019학년도 경희대 오프라인 모의 논술

(1) 밑면의 반지름이 r이고 높이가 h인 원뿔 A가 있다. 원뿔 A를 포함하는 원뿔 B는 그 밑면의 중심이 A의 꼭짓점과 일치하고, 두 원뿔의 밑면은 서로 평행하다. 이러한 원뿔 B 중에서 부피가 가장 작은 것의 밑면 반지름 u, 높이 v, 그리고 부피 V를 구하시오.

> 원뿔 A를 그 회전축을 지나는 평면으로 자른 단면은 오른쪽 그림과 같다. 이 직각삼각형의 두변을 좌표축과 일치시키면 x, y절편이 각각 u, v인 직선 위에 점 (r, h)가 있는 것이므로 $\dfrac{r}{u} + \dfrac{h}{u} = 1$이고 따라서 $u = \dfrac{hu}{u-r}$이다. 원뿔 B의 부피는 $V = \dfrac{\pi u^2 v}{3} = \dfrac{\pi h}{3}\dfrac{u^3}{u-r}$이고
>
> $$\frac{dV}{du} = \frac{\pi h}{3}\frac{u^2(2u-3r)}{(u-r)^2}$$

이다. $u > r$의 범위에서 $u = \dfrac{3}{2}r$일 때 $\dfrac{dV}{du} = 0$이고, $\dfrac{dV}{du}$의 부호

가 음에서

양으로 바뀌므로 여기서 V는 극솟값을 갖는다. 주어진 범위에서 유일한 극솟값이므로 이것은 V의 최솟값이다. 따라서 부피가 최소

인 원뿔 B의 밑면 반지름은 $u = \dfrac{3}{2}r$이고 높이는 $v = \dfrac{hu}{u-r} = 3h$이

다. 따라서 부피는 $V = \dfrac{\pi u^2 v}{3} = \dfrac{9\pi r^2 h}{4}$이다.

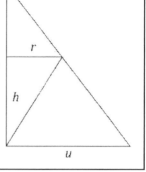

(2) 반지름 r의 구를 원뿔 C가 포함하고 있다. 이러한 원뿔 C 중에서 겉넓이가 가장 작은 것의 밑면 반지름 u, 높이 v, 그리고 겉넓이 V를 구하시오.

원뿔 C를 그 회전축을 지나는 평면으로 자른 단면은 오른쪽 그림과 같다. 직각삼각형의 닮음에서 $r : (v - r) = u : \sqrt{u^2 + v^2}$,

즉 $u(v - r) = r\sqrt{u^2 + v^2}$이므로 $\dfrac{v}{r} = 1 + \dfrac{\sqrt{u^2 + v^2}}{u}$

이다. 원뿔의 겉넓이는 밑면의 넓이 πu^2과 옆면을 전개한 부채꼴의 넓이 $\pi r\sqrt{u^2 + v^2}$의 합

$S = \pi u^2\left(1 + \dfrac{\sqrt{u^2 + v^2}}{u}\right) = \dfrac{\pi}{r}u^2 v$이다. $u = \dfrac{rv}{\sqrt{v^2 - 2rv}}$를 대입하

면 $S = \dfrac{\pi r v^2}{v - 2r}$이고

$\dfrac{dS}{dv} = \dfrac{\pi r v(u - 4r)}{(v - 2r)^2} = \dfrac{\pi}{r}u^2 v$이다. $v > 2r$이므로 S는 이 범위에서 $u = 4r$ (따라서 $u = \sqrt{2}\,r$)

일 때 유일한 극솟값, 즉 최솟값 $S = 8\pi r^2$을 갖는다.

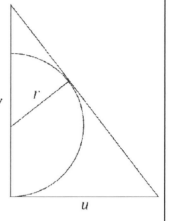

(3) (2)번에서 구한 원뿔 C와 닮은 원뿔 D는 C의 내부에 있고 구의 내부와 겹치지 않으면서 그 밑면이 C의 밑면에 포함된다. 이러한 원뿔 D 중에서 가장 큰 것의 부피 V를 구하시오.

두 원뿔 C와 D의 평행한 회전축을 지나는 평면으로 자른 단면은 오른쪽 그림과 같다. 이 직각삼각형의 두 변을 좌표축과 일치시키면, 원뿔 C의 모선의 기울기는 (2)의 계산에 의하여 $\dfrac{r}{\sqrt{2}}$이고

따라서 원뿔 D의 나머지 모선의 방정식은 $y = 2\sqrt{2}\,x + k$이다. 이 직선은 중심이 $(0, r)$이고 반지름이 r인 원과 접하므로 $k = -2r$,

즉 $y = 2\sqrt{2}\,x + 2r$이다. 이 직선의 x절편이 $\dfrac{r}{\sqrt{2}}$이므로 원뿔 D의

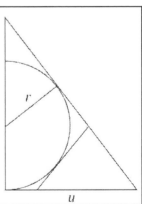

지름은 $\sqrt{2}\,r - \dfrac{r}{\sqrt{2}} = \dfrac{r}{\sqrt{2}}$, 즉 반지름은 $\dfrac{r}{2\sqrt{2}}$이고 따라서 높이는 반지름의 $2\sqrt{2}$배인 r이다. 부피는 $V = \dfrac{\pi r^2}{24}$이다.

(4) 반지름 r의 구를 밑면이 정 n각형인 ($n \geq 3$) 각뿔 E가 포함하고 있다. 이러한 각뿔 중에서 겉넓이가 가장 작은 것에 대하여 그 정 n각형 한 변의 길이 a, 각뿔의 높이 v, 그리고 겉넓이 S를 구하시오. (단, 각뿔의 꼭짓점에서 밑면에 내린 수선의 발은 정 n각형의 중심에 있다.)

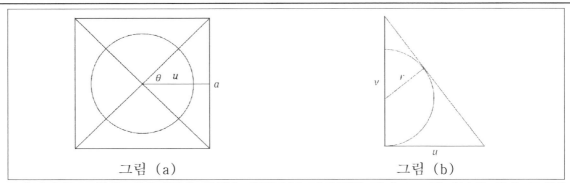

| 그림 (a) | 그림 (b) |

그림 (a)은 도형을 정사각뿔의 중심축 방향으로 정사영한 것이고 그림 (b)은 같은 도형을 구와 각뿔 옆면의 한 접점과 중심축을 지나는 평면으로 자른 단면이다. 그림에서 $\theta = \dfrac{2\pi}{n} \times \dfrac{1}{2} = \dfrac{\pi}{n}$, $a = 2u\tan\theta$이고, 직각삼각형의 닮음에서 $u(v-r) = r\sqrt{u^2+v^2}$이다. 각뿔의 겉넓이는 밑면 정 n각형의 넓이 $\dfrac{n}{2}au = v^2\tan\theta$와 옆면 이등변 삼각형 n개의 넓이 $\dfrac{n}{2}a\sqrt{u^2+v^2} = v\sqrt{u^2+v^2}\tan\theta$의 합 $S = v^2\left(1 + \dfrac{\sqrt{u^2+v^2}}{u}\right)\tan\theta = \dfrac{v^2 v \tan\theta}{r}$이다.

$u = \dfrac{rv}{\sqrt{v^2-2rv}}$를 대입하면 $S = \dfrac{v^2}{v-2r}nr\tan\theta$이고, $\dfrac{dS}{dv} = \dfrac{v(v-4r)}{(v-2r)^2}nr\tan\theta$이다. $v > 2r$이므로 S는 이 범위에서 (따라서 $u = \sqrt{2}\,r$, $a = 2\sqrt{2}\,r\tan\theta$) 일 때 유일한 극솟값, 즉 최솟값 $S = 8nr^2\tan\dfrac{\pi}{n}$을 갖는다.

19. 2018학년도 경희대 수시 논술 (토요일)

[논제 I-1]

(1) 선분 OA_1의 길이를 θ의 함수 $f(\theta)$로 나타내고, 그 과정을 서술하시오.

점 P_1에서 직선 m에 내린 수선의 발을 B라 하면, 선분 O_1P_1이 직선 l과 평행하기 때문에 $\angle BO_1P_1 = \dfrac{\pi}{3}$이다.

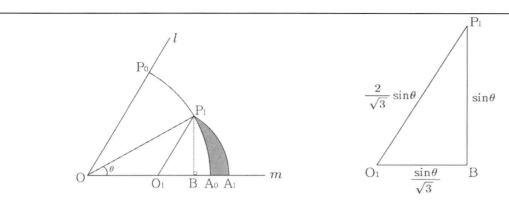

삼각형 BO_1P_1는 $\angle BO_1P_1 = \dfrac{\pi}{3}$이고 $\angle O_1BP_1 = \dfrac{\pi}{2}$이며 $\overline{BP_1} = \sin\theta$인 **직각삼각형이다.** 따라서 $\overline{O_1P_1} = \dfrac{2}{\sqrt{3}}\sin\theta$, $\overline{O_1B} = \dfrac{1}{\sqrt{3}}\sin\theta$**이다.**

$\overline{OA_1} = \overline{OB} + \overline{BA_1}$**에서** $\overline{OB} = \cos\theta$**이다. 또한** $\overline{O_1A_1} = \overline{O_1P_1} = \dfrac{2}{\sqrt{3}}\sin\theta$**이고** $\overline{O_1B} = \dfrac{1}{\sqrt{3}}\sin\theta$**이**

므로 $\overline{BA_1} = \overline{O_1A_1} - \overline{O_1B} = \dfrac{1}{\sqrt{3}}\sin\theta$**이다. 그러므로** $f(\theta) = \cos\theta + \dfrac{1}{\sqrt{3}}\sin\theta$ **이다.**

(2) $f(\theta)$가 **최댓값을 가질 때의** θ**의 값을** α**라 하자.** α**의 값을 구하고, 그 근거를 논술하시오.**

$0 < \theta < \dfrac{\pi}{3}$에서 $f(\theta)$는 미분가능하고, $f'(\theta) = -\sin\theta + \dfrac{1}{\sqrt{3}}\cos\theta$이므로 $0 < \theta < \dfrac{\pi}{3}$에서 $f'(\theta) = 0$이 되는 경우는 $\tan\theta = \dfrac{1}{\sqrt{3}}$, 즉 $\theta = \dfrac{\pi}{6}$이다. 한편, 구간 $0 < \theta < \dfrac{\pi}{6}$에서 $f'(\theta) > 0$이고 $\dfrac{\pi}{6} < \theta < \dfrac{\pi}{3}$에서 $f'(\theta) < 0$이므로 $f(\theta)$는 $\theta = \dfrac{\pi}{6}$에서 최댓값을 가진다. 따라서 $\alpha = \dfrac{\pi}{6}$이다.

[논제 I-2] <그림 1>에서 두 호 A_0P_1, A_1P_1과 선분 A_0A_1에 의해 둘러싸인 도형의 넓이를 θ의 함수 $g(\theta)$로 나타내고, 그 과정을 서술하시오.

두 호 A_0P_1**과** A_1P_1**, 그리고 선분** A_0A_1**에 의해 둘러싸인 도형의 넓이는 부채꼴** $O_1A_1P_1$ **의 넓이와 삼각형** OO_1P_1**의 넓이의 합에서 부채꼴** OA_0P_1**의 넓이를 뺀 값과 같다.**

$\overline{O_1P_1} = \dfrac{2}{\sqrt{3}}\sin\theta$**이고** $\angle BO_1P_1 = \dfrac{\pi}{3}$**이므로**

부채꼴 $O_1A_1P_1$**의 넓이는** $\dfrac{1}{2}\left(\dfrac{2}{\sqrt{3}}\sin\theta\right)^2 \dfrac{\pi}{3} = \dfrac{2\pi}{9}\sin^2\theta$**이다.**

삼각형 OO_1P_1**의 밑변의 길이는** $\overline{OO_1} = \overline{OB} - \overline{O_1B} = \cos\theta - \dfrac{\sin\theta}{\sqrt{3}}$**이고 높이는** $\overline{BP_1} = \sin\theta$**이**

므로,

삼각형 OO_1P_1의 넓이는 $\dfrac{1}{2}\sin\theta\left(\cos\theta - \dfrac{\sin\theta}{\sqrt{3}}\right) = \dfrac{\sin\theta\cos\theta}{2} - \dfrac{\sqrt{3}}{6}\sin^2\theta$이다.

한편 부채꼴 OA_0P_1의 넓이는 $\dfrac{\theta}{2}$이므로, 주어진 도형의 넓이는 $0 < \theta < \dfrac{\pi}{3}$에서

$$g(\theta) = \dfrac{2\pi}{9}\sin^2\theta + \dfrac{\sin\theta\cos\theta}{2} - \dfrac{\sqrt{3}}{6}\sin^2\theta - \dfrac{\theta}{2} \qquad = \dfrac{1}{18}\left[(4\pi - 3\sqrt{3})\sin^2\theta + 9\sin\theta\cos\theta - 9\theta\right]$$ 이다.

[논제 I-3] [논제 I-2]에서 구한 $g(\theta)$가 최댓값을 가질 때의 θ의 값을 β라 하자. $\tan\beta$를 구하고, 그 근거를 논술하시오.

$g(\theta) = \dfrac{1}{18}\left[(4\pi - 3\sqrt{3})\sin^2\theta + 9\sin\theta\cos\theta - 9\theta\right]$는 $0 < \theta < \dfrac{\pi}{3}$에서 미분가능하고,

$$g'(\theta) = \dfrac{1}{18}\left[2(4\pi - 3\sqrt{3})\sin\theta\cos\theta + 9\cos^2\theta - 9\sin^2\theta - 9\right]$$

$$= \dfrac{1}{18}\left[2(4\pi - 3\sqrt{3})\sin\theta\cos\theta - 18\sin^2\theta\right]$$

$$= \dfrac{\sin\theta\cos\theta}{9}\left[(4\pi - 3\sqrt{3}) - 9\tan\theta\right]$$

이다. $0 < \theta < \dfrac{\pi}{3}$일 때, $\sin\theta\cos\theta > 0$이므로 $g'(\theta) = 0$인 θ는 $\tan\theta = \dfrac{4\pi - 3\sqrt{3}}{9}$을 만족한다.

$0 < \theta < \dfrac{\pi}{3}$에서 $\tan\theta$는 증가함수이고 $0 < \tan\theta = \dfrac{4\pi - 3\sqrt{3}}{9} < \sqrt{3} = \tan\dfrac{\pi}{3}$이므로, $\tan\theta = \dfrac{4\pi - 3\sqrt{3}}{9}$을 만족하는 θ가 0과 $\dfrac{\pi}{3}$ 사이에 존재한다. 또한 이러한 θ의 좌우에서 $g'(\theta)$의 부호가 양에서 음으로 바뀌므로, 이때의 θ를 β라 하면 $g(\theta)$는 β에서 최댓값을 가지고 $\tan\beta = \dfrac{4\pi - 3\sqrt{3}}{9}$ 이다.

[논제 I-4] [논제 I-1]의 (2)에서 구한 α와 [논제 I-3]의 β의 크기를 비교하고, 그 근거를 논술하시오.

[논제 I-1] 의 (2)에서 구한 $\alpha = \dfrac{\pi}{6}$이므로 $\tan\alpha = \dfrac{\sqrt{3}}{3}$이고, [논제 I-3] 의 β는 $\tan\beta = \dfrac{4\pi - 3\sqrt{3}}{9}$을 만족한다.

$\tan\beta - \tan\alpha = \dfrac{4\pi - 6\sqrt{3}}{9} > \dfrac{12 - 6\sqrt{3}}{9} = \dfrac{2(2 - \sqrt{3})}{3} > 0$이므로 $\tan\beta > \tan\alpha$ 이다.

한편, $0 < \theta < \dfrac{\pi}{3}$에서 $\tan\theta$는 증가함수이므로 $\beta > \alpha$이다.

20. 2018학년도 경희대 수시 논술 (일요일)

[논제 I-1] <그림 1>에서 사각형 ABCD는 정사각형이고, 사각형 AEFG는 마름모이다. 여기서 선분 PQ의 길이는 1, 선분 PA의 길이는 x이다. (단, $0 < x < 1$)

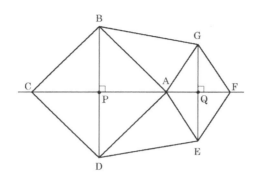

<그림 1>

(1) 선분 QG의 길이가 $1-x$일 때, 육각형 BCDEFG의 넓이를 x의 함수 $S_1(x)$로 나타내고, $S_1(x)$가 최소가 되는 x의 값을 구하시오. 그리고 그 근거를 논술하시오.

육각형 BCDEFG의 넓이 $S_1(x)$는

삼각형 BCD, 사다리꼴 BDEG, 삼각형 EFG 넓이의 합이다.

$$S_1(x) = \frac{1}{2} \times 2x \times x + \frac{1}{2} \times \{2x + 2(1-x)\} \times 1 + \frac{1}{2} \times 2(1-x) \times (1-x) = x^2 + 1 + (1-x)^2$$

$$= 2x^2 - 2x + 2 = 2\left(x - \frac{1}{2}\right)^2 + \frac{3}{2}.$$

따라서 $x = \dfrac{1}{2}$일 때 넓이가 최소가 된다.

---

(2) 선분 QG의 길이가 $ax + b$ (a, b는 양의 상수)일 때, 육각형 BCDEFG의 넓이를 x의 함수 $S_2(x)$라 하자. $0 < x < 1$인 모든 x에 대하여 $S_2(x) = k$가 되는 두 상수 a, b의 값과 그때의 k의 값을 구하고, 그 과정을 서술하시오. (단, k는 양의 상수)

---

(1)에서와 같은 방법으로 넓이 $S_2(x)$를 구하면

$$S_2(x) = \frac{1}{2} \times 2x \times x + \frac{1}{2} \times \{2x + 2(ax+b)\} \times 1 + \frac{1}{2} \times 2(ax+b) \times (1-x)$$

$$= (1-a)x^2 + (2a - b + 1)x + 2b$$

$S_2(x) = k$를 만족하기 위하여 $1 - a = 0$, $2a - b + 1 = 0$, $2b = k$가 성립해야 한다.

따라서 $a = 1$, $b = 3$이고, $k = 6$이다.

[논제 I-2] <그림 2>에서 두 원 O_1과 O_2는 서로 외접하고 중심 사이의 거리가 1이다. 점 A, B, C, D는 두 원의 공통접선과의 접점이다. 각 AO_1O_2의 크기는 θ이다. 부채꼴 O_1CA(색칠된 부분)의 호, 선분 AB, 부채꼴 O_2BD(색칠된 부분)의 호, 선분 DC로 둘러

싸인 도형의 둘레의 길이를 l, 넓이를 S라고 하자. (단, $\dfrac{\pi}{6} \le \theta \le \dfrac{2\pi}{3}$)

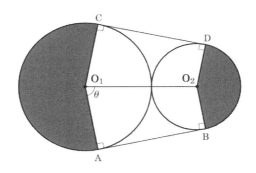

<그림 2>

(1) l을 θ의 함수 $l(\theta)$로 나타내고, $l(\theta)$의 최댓값을 구하시오. 그리고 그 근거를 논술하시오.

둘레의 길이 l은 부채꼴 O_1CA의 호의 길이, 선분 AB의 길이, 부채꼴 O_2BD의 호의 길이, 선분 DC의 길이의 합이다.

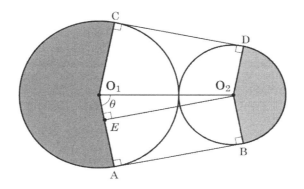

사다리꼴 O_1ABO_2와 O_1CDO_2는 합동이므로 각 CO_1O_2의 크기도 θ이다.

따라서 부채꼴 O_1CA의 중심각의 크기는 $2\pi - 2\theta$이다.

선분 O_1A와 O_2B가 평행이고, 선분 O_1C와 O_2D가 평행이므로

부채꼴 O_2BD의 중심각의 크기는 2θ이다.

원 O_1의 반지름의 길이($\overline{O_1A}$)를 r_1, 원 O_2의 반지름의 길이($\overline{O_2B}$)를 r_2라 하면

$r_1 + r_2 = 1$, $r_1 - r_2 = \overline{O_1O_2}\cos\theta = \cos\theta$이므로

$r_1 = \dfrac{1+\cos\theta}{2}$, $r_2 = \dfrac{1-\cos\theta}{2}$이다.

따라서 부채꼴 O_1CA의 호의 길이 $l_1 = r_1(2\pi - 2\theta) = (\pi - \theta)(1 + \cos\theta)$이고,

부채꼴 O_2BD의 호의 길이 $l_2 = r_2(2\theta) = \theta(1 - \cos\theta)$이다.

선분 AB와 DC의 길이는 모두 $\overline{O_1O_2}\sin\theta = \sin\theta$이다.

그러므로

$l(\theta) = (\pi-\theta)(1+\cos\theta) + \theta(1-\cos\theta) + 2\sin\theta = \pi + 2\sin\theta + (\pi-2\theta)\cos\theta.$

$l'(\theta) = 2\cos\theta - 2\cos\theta - (\pi-2\theta)\sin\theta$

$\qquad = (2\theta-\pi)\sin\theta$**이고** $\dfrac{\pi}{6} \le \theta \le \dfrac{2\pi}{3}$**이므로** $\sin\theta > 0$**이다.**

따라서 $\dfrac{\pi}{6} \le \theta < \dfrac{\pi}{2}$**일 때** $l'(\theta) < 0$, $\theta = \dfrac{\pi}{2}$**일 때** $l'(\theta) = 0$, $\dfrac{\pi}{2} < \theta \le \dfrac{2\pi}{3}$**일 때** $l'(\theta) > 0$

이다.

그러므로 $l(\theta)$**는** $\theta = \dfrac{\pi}{2}$**일 때 최소가 되고,**

$l\left(\dfrac{\pi}{6}\right) = \pi + 1 + \dfrac{\sqrt{3}\,\pi}{3}$, $l\left(\dfrac{2\pi}{3}\right) = \pi + \sqrt{3} + \dfrac{\pi}{6}$ **중에서 더 큰 값이 최대가 된다.**

$\pi > 3$**을 이용하면** $l\left(\dfrac{2\pi}{3}\right) - l\left(\dfrac{\pi}{6}\right) = \sqrt{3} - 1 - \dfrac{2\sqrt{3}-1}{6}\pi$

$$< \sqrt{3} - 1 - \dfrac{2\sqrt{3}-1}{6} \times 3 = -\dfrac{1}{2} < 0$$**이므로**

$l(\theta)$**는** $\theta = \dfrac{\pi}{6}$**일 때 최대가 되고, 그 최댓값은** $\pi + 1 + \dfrac{\sqrt{3}\,\pi}{3}$**이다.**

(2) S를 θ의 함수 $S(\theta)$로 나타내고, $S(\theta)$의 최솟값을 구하시오. 그리고 그 근거를 논술하시오.

(2) 넓이 S**는 부채꼴** O_1CA**와** O_2BD**의 넓이, 사다리꼴** O_1ABO_2**와** O_1CDO_2**의 넓이의 합**

이다.

(1)에서 구한 부채꼴의 반지름과 중심각의 크기를 이용하면

부채꼴 O_1CA**의 넓이는** $\dfrac{1}{2}r_1^2(2\pi-2\theta) = \dfrac{1}{4}(\pi-\theta)(1+\cos\theta)^2$**이고,**

부채꼴 O_2BD**의 넓이는** $\dfrac{1}{2}r_2^2(2\theta) = \dfrac{1}{4}\theta(1-\cos\theta)^2$**이다.**

사다리꼴 O_1ABO_2**와** O_1CDO_2**의 넓이는 모두** $\dfrac{1}{2}(r_1+r_2)\overline{AB} = \dfrac{1}{2}\sin\theta$**이다.**

그러므로 $S(\theta) = \dfrac{1}{4}(\pi-\theta)(1+\cos\theta)^2 + \dfrac{1}{2}\sin\theta + \dfrac{1}{2}\sin\theta + \dfrac{1}{4}\theta(1-\cos\theta)^2$

$\qquad\qquad = \dfrac{\pi}{4} + \sin\theta + \dfrac{\pi}{2}\cos\theta + \dfrac{\pi}{4}\cos^2\theta - \theta\cos\theta.$

$S'(\theta) = \cos\theta - \dfrac{\pi}{2}\sin\theta - \dfrac{\pi}{2}\cos\theta\sin\theta - \cos\theta + \theta\sin\theta$

$\qquad = \left(\theta - \dfrac{\pi}{2} - \dfrac{\pi}{2}\cos\theta\right)\sin\theta = \left(\theta - \dfrac{\pi}{2}\right)\sin\theta - \dfrac{\pi}{2}\cos\theta\sin\theta.$

$\theta = \dfrac{\pi}{2}$ 일 때, $S'\left(\dfrac{\pi}{2}\right) = 0$이다.

$\dfrac{\pi}{6} \leq \theta < \dfrac{\pi}{2}$ 일 때 $\theta - \dfrac{\pi}{2} < 0$, $-\dfrac{\pi}{2}\cos\theta < 0$, $\sin\theta > 0$이므로 $S'(\theta) < 0$이고,

$\dfrac{\pi}{2} < \theta \leq \dfrac{2\pi}{3}$ 일 때 $\theta - \dfrac{\pi}{2} > 0$, $-\dfrac{\pi}{2}\cos\theta > 0$, $\sin\theta > 0$이므로 $S'(\theta) > 0$이다.

따라서 $S(\theta)$는 $\theta = \dfrac{\pi}{2}$일 때 최소가 되고, 그 최솟값은 $\dfrac{\pi}{4} + 1$이다.